APRENDE A DIBUJAR ANIMALES Y PERSONAJES

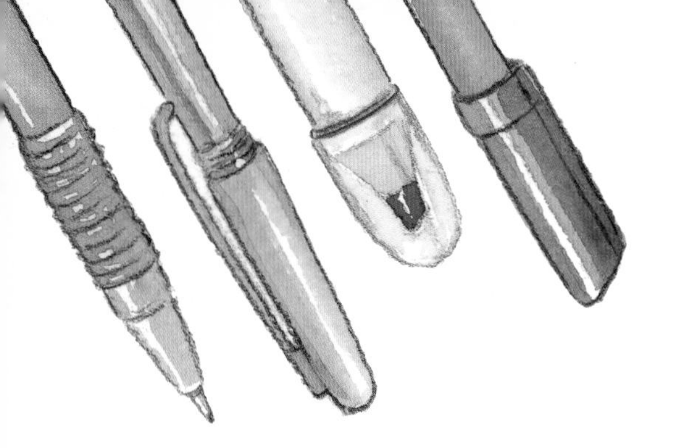

ÍNDICE

INTRODUCCIÓN

Todas las manifestaciones artísticas son una forma de expresión que nos ayuda a vivir con mayor intensidad.
Nos enseña a ser más receptivos, de tal manera que somos capaces de diferenciar matices en la gama de colores y diferenciar con facilidad las distintas técnicas.

ALGUNOS CONSEJOS PREVIOS ANTES DE EMPEZAR A DIBUJAR:

- BUSCA UN LUGAR DE TRABAJO TRANQUILO Y BIEN ILUMINADO.
- TEN EL MATERIAL NECESARIO A PUNTO.
- NO TENGAS PRISA.
- DISFRUTA.

ALIENS

Dibuja un alien en tres simples pasos.

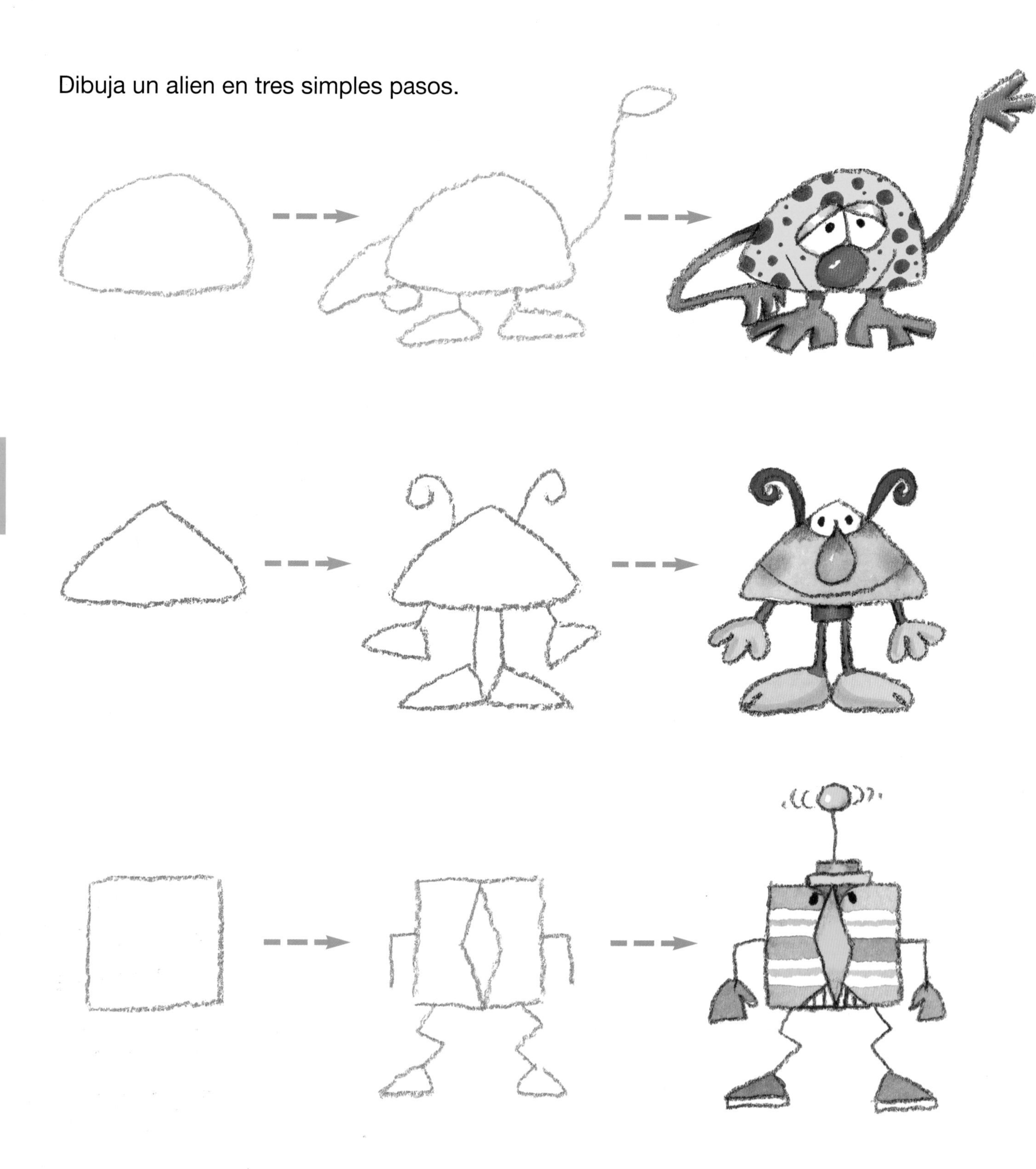

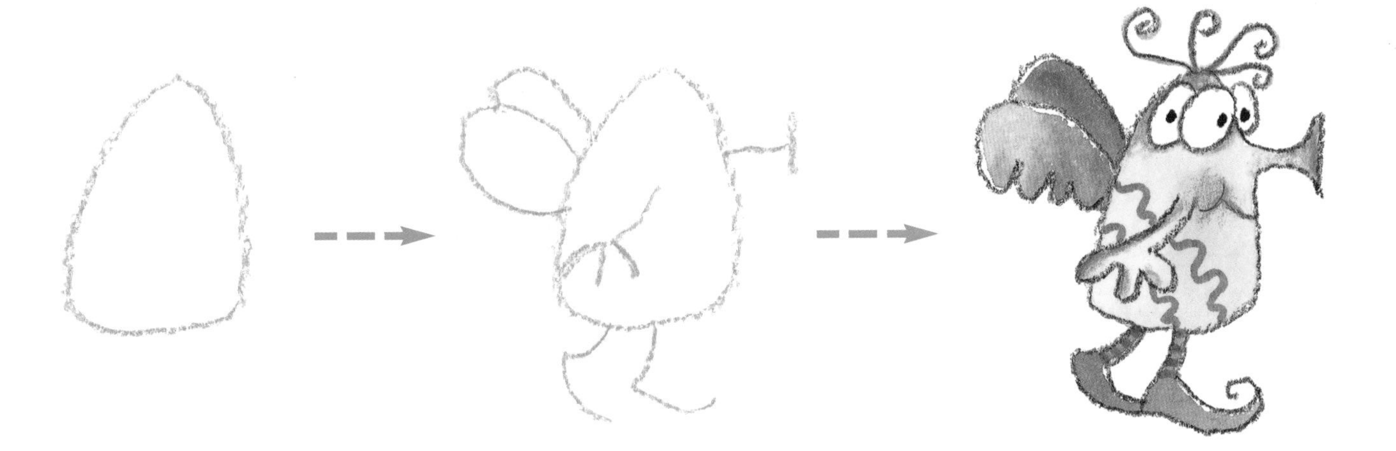

En el tercer paso lo puedes colorear a tu gusto.

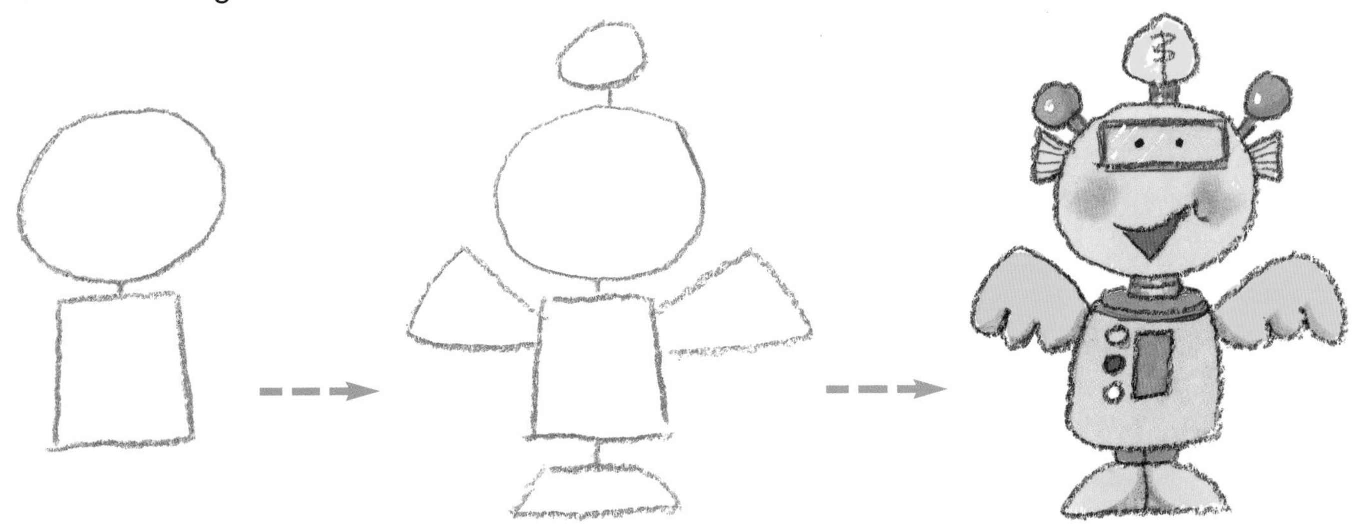

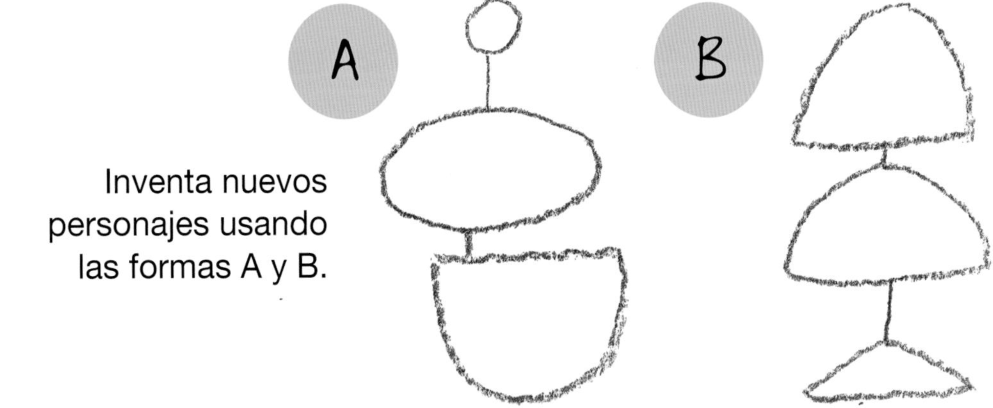

Inventa nuevos personajes usando las formas A y B.

ALIEN: PERSONAJE EXTRAÑO QUE NO SE SABE DE DÓNDE PROVIENE.

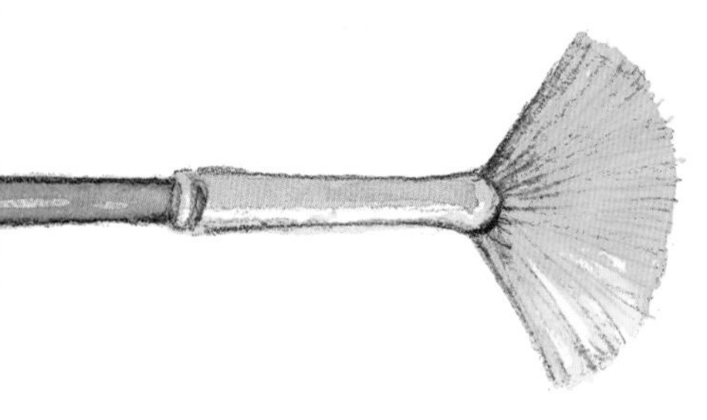

ROBOTS

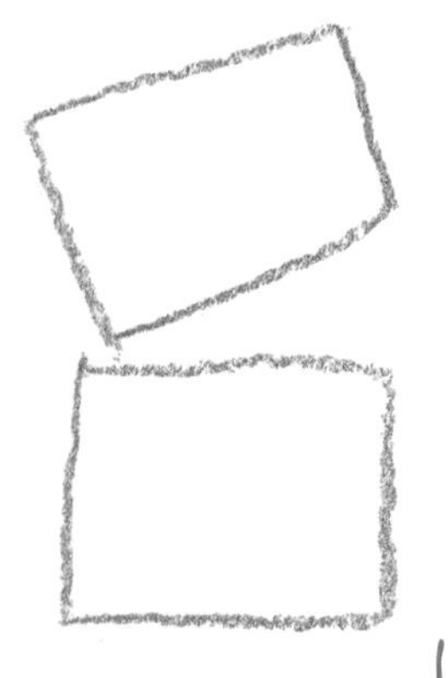

1

Dos simples formas planas.

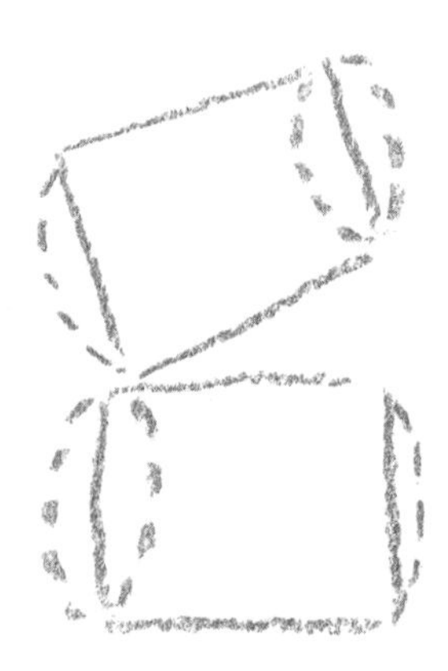

2

Añadimos volumen.

3

Dibujamos las patas.

4

Dibujamos la antena y la cola.

5

Y ahora un bonito ojo.

6

LO PINTAMOS.

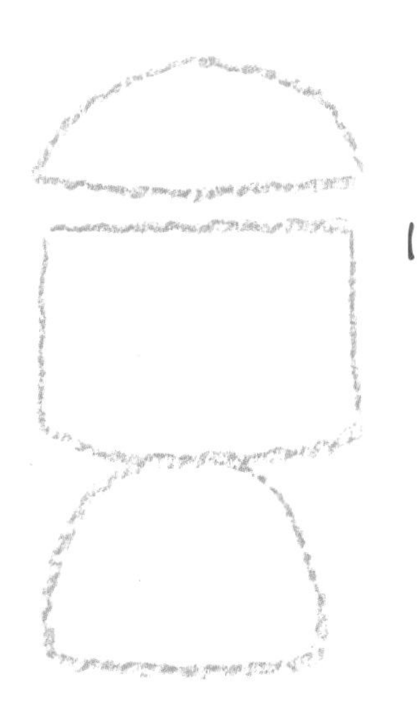

Tres formas simples.

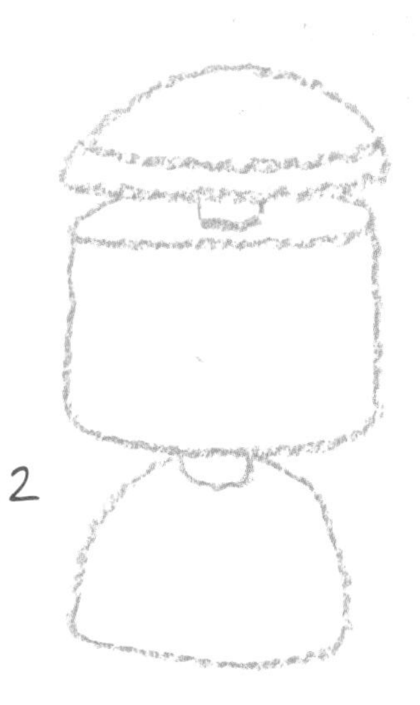

Añadimos volumen y las juntamos.

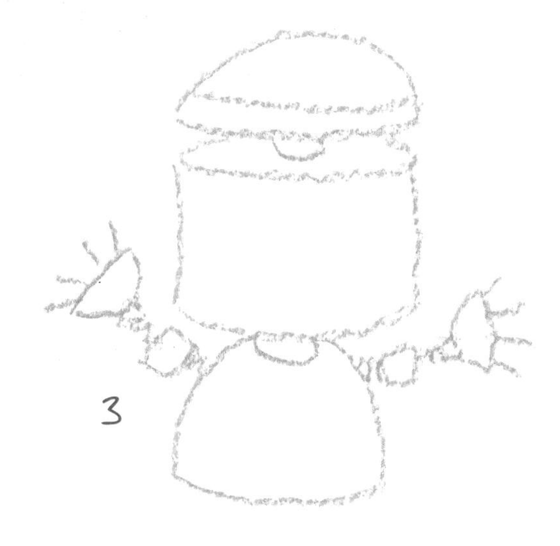

Dibujamos los brazos.

Ahora hacemos la antena, la cara y las piernas.

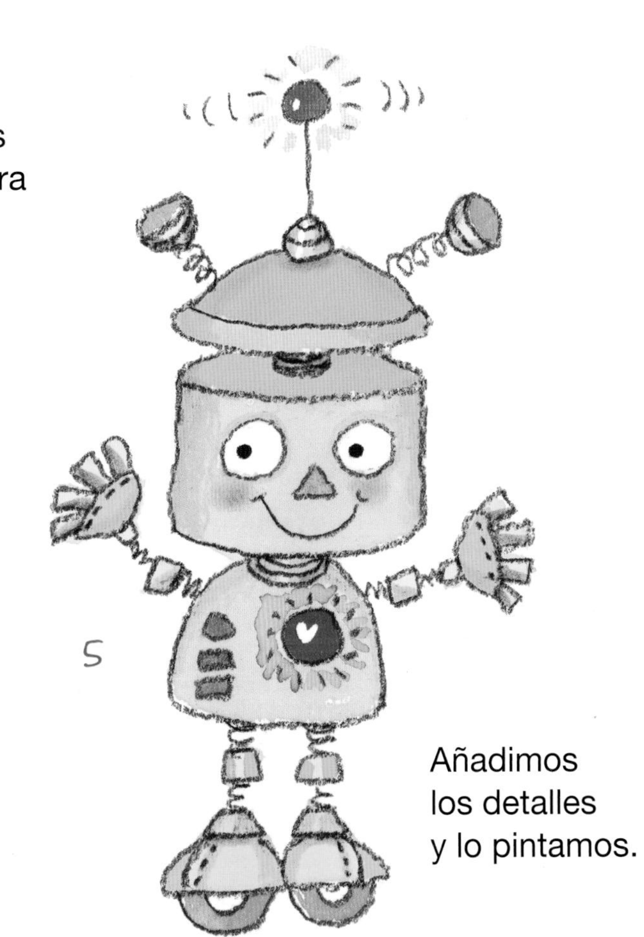

Añadimos los detalles y lo pintamos.

El robot es una máquina que imita el comportamiento humano. Puede tener tanto forma de persona como de animal.

BAILARINA

Fíjate en la cabeza y
en el cuerpo, son formas
geométricas sencillas.
Señalamos los brazos
y las piernas.

Vamos perfeccionando
el cuerpo y eliminamos
las líneas.

¡OBSERVA!

Continuamos
trazando líneas y ya
tenemos el vestido.

Damos grosor
a los brazos
y a las piernas.
Dibujamos
los zapatos.

Dibujamos el pelo
y una dulce expresión
en la cara.

¡La perfeccionamos!
¡Pintémosla!

LA BAILARINA DANZA
AL SON DE LA MÚSICA.

HADAS

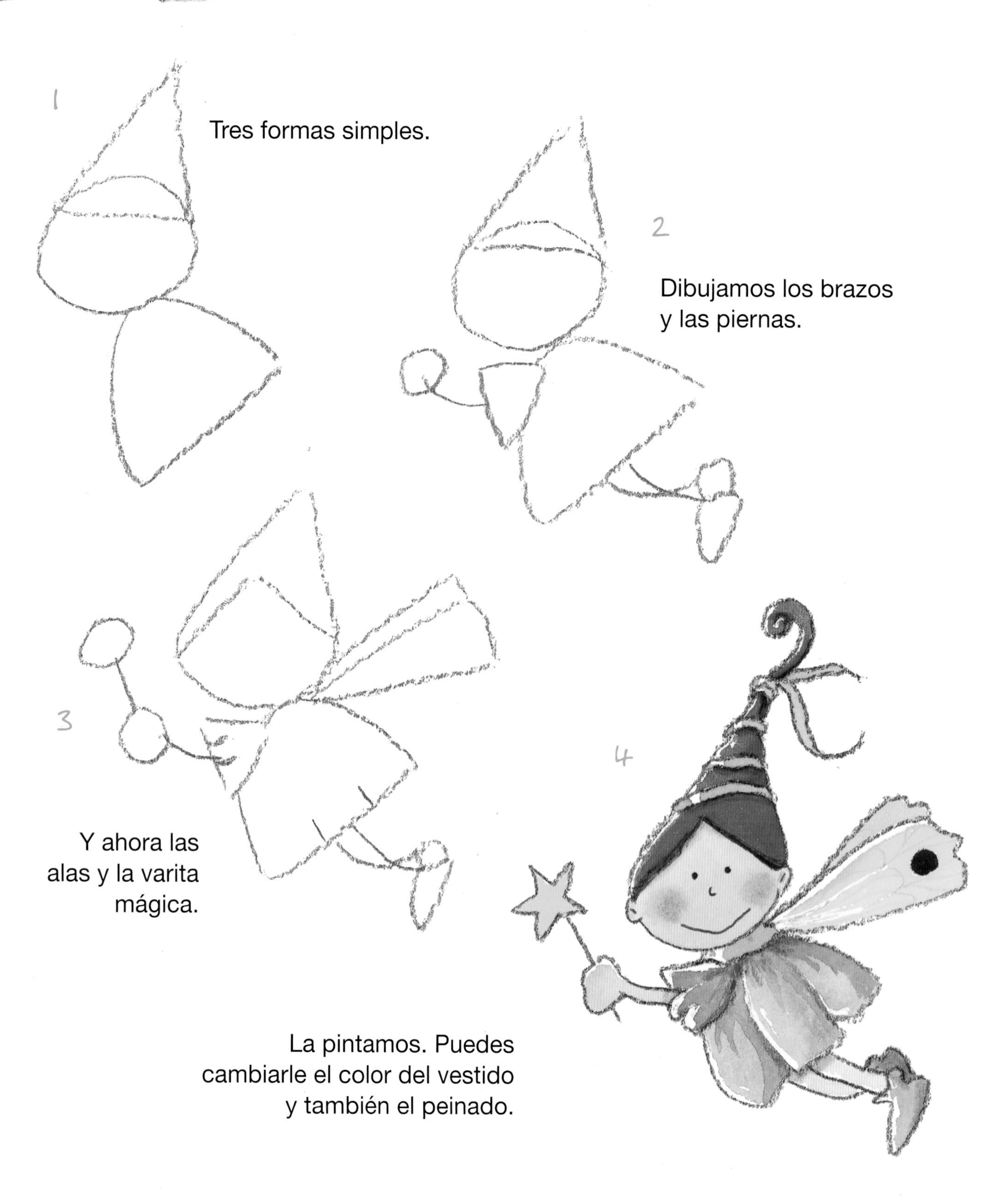

Tres formas simples.

Dibujamos los brazos
y las piernas.

Y ahora las
alas y la varita
mágica.

La pintamos. Puedes
cambiarle el color del vestido
y también el peinado.

Las hadas son muy femeninas y presumidas.
Adornan sus cabellos con flores, frutos y cintas.

RECUERDA:
tienen alas de mariposa o de libélula.
Son muy delicadas.

DUENDES

Dos formas sencillas, las piernas y los brazos.

Ahora dibujamos el sombrero, las mangas y los zapatos.

Dibujamos el pantalón y el cinturón.

Damos grosor a brazos y piernas.

Lo perfeccionamos.

¡Pintamos!

Seguro que eres capaz de dibujar un duende en tres pasos.

LOS DUENDES SON ESPÍRITUS TRAVIESOS QUE VIVEN EN TODAS LAS CASAS Y ESCONDEN OBJETOS.

Diferentes sombreros.

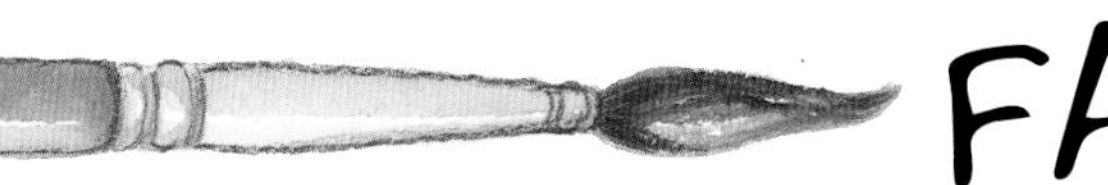

FANTASMAS

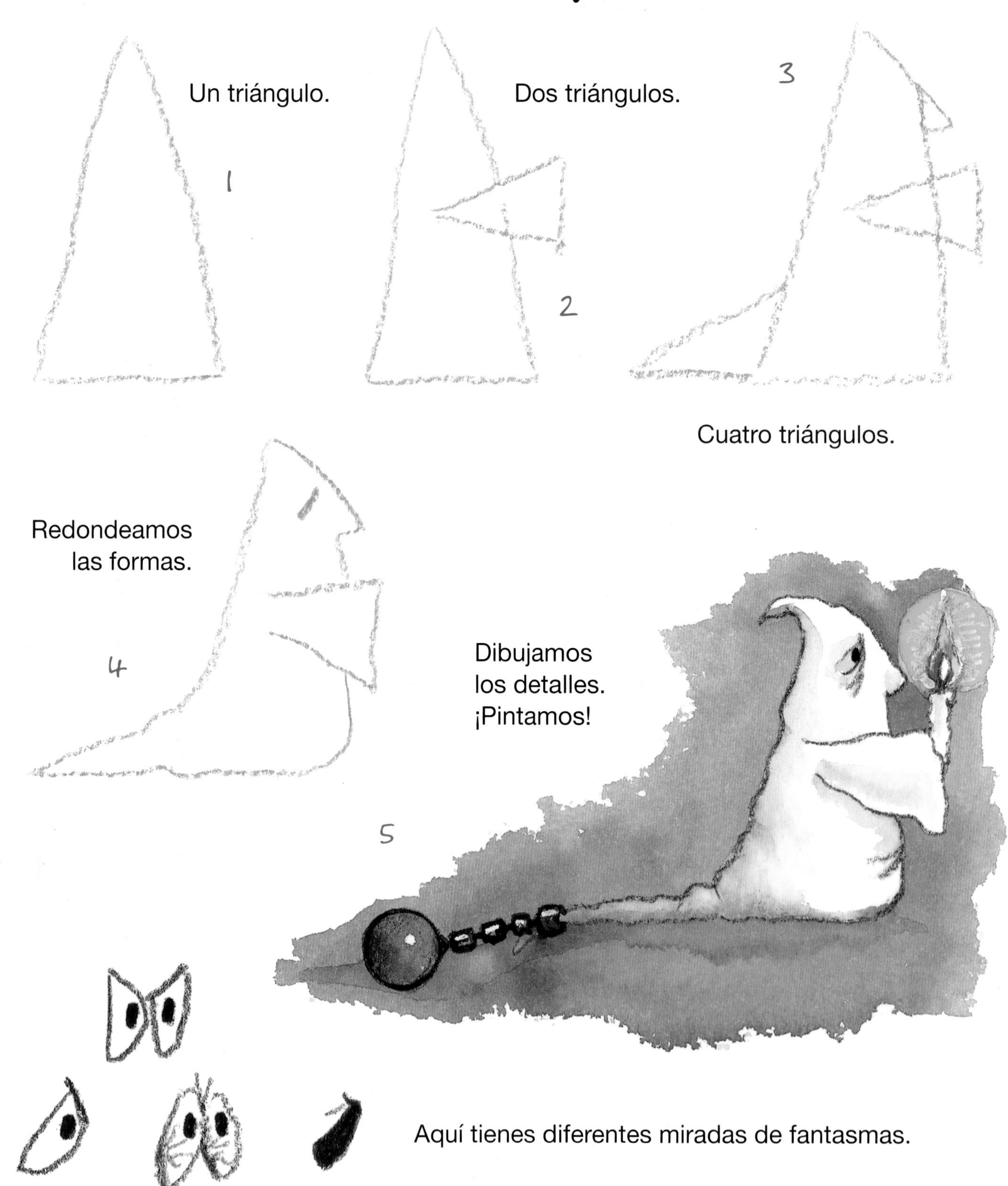

Un triángulo.
1
Dos triángulos.
2
3
Cuatro triángulos.
Redondeamos las formas.
4
Dibujamos los detalles. ¡Pintamos!
5
Aquí tienes diferentes miradas de fantasmas.

Empezamos con
tres triángulos.
1
2
¿Y ahora
cuántos
triángulos
tienes?
17
Redondeamos
las formas.
Dibujamos los
ojos y la boca.
3
4
AMBIENTAMOS Y
PINTAMOS.

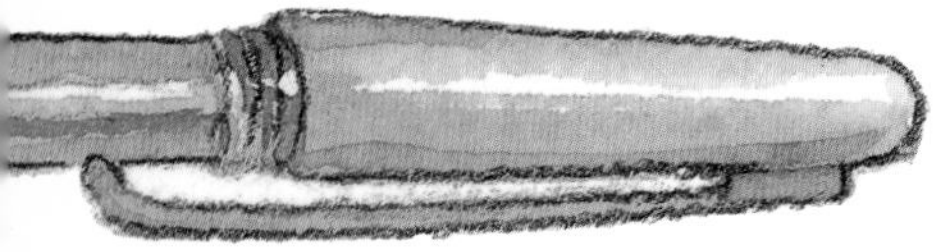

OGRO

1

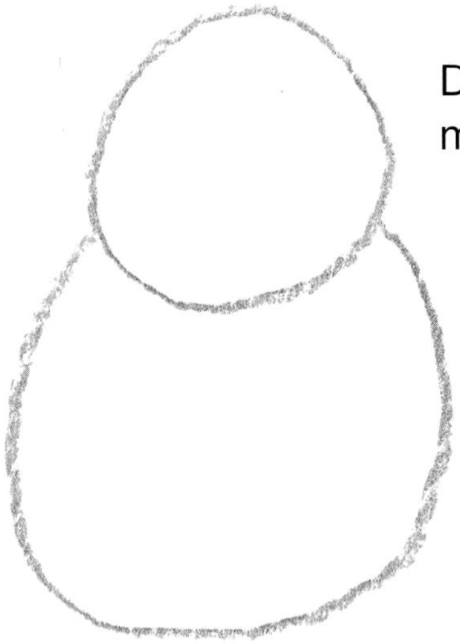

Dos formas
muy sencillas.

2

Dibujamos
los brazos y
las piernas.

Les damos grosor.

3

4

Dibujamos
las botas.

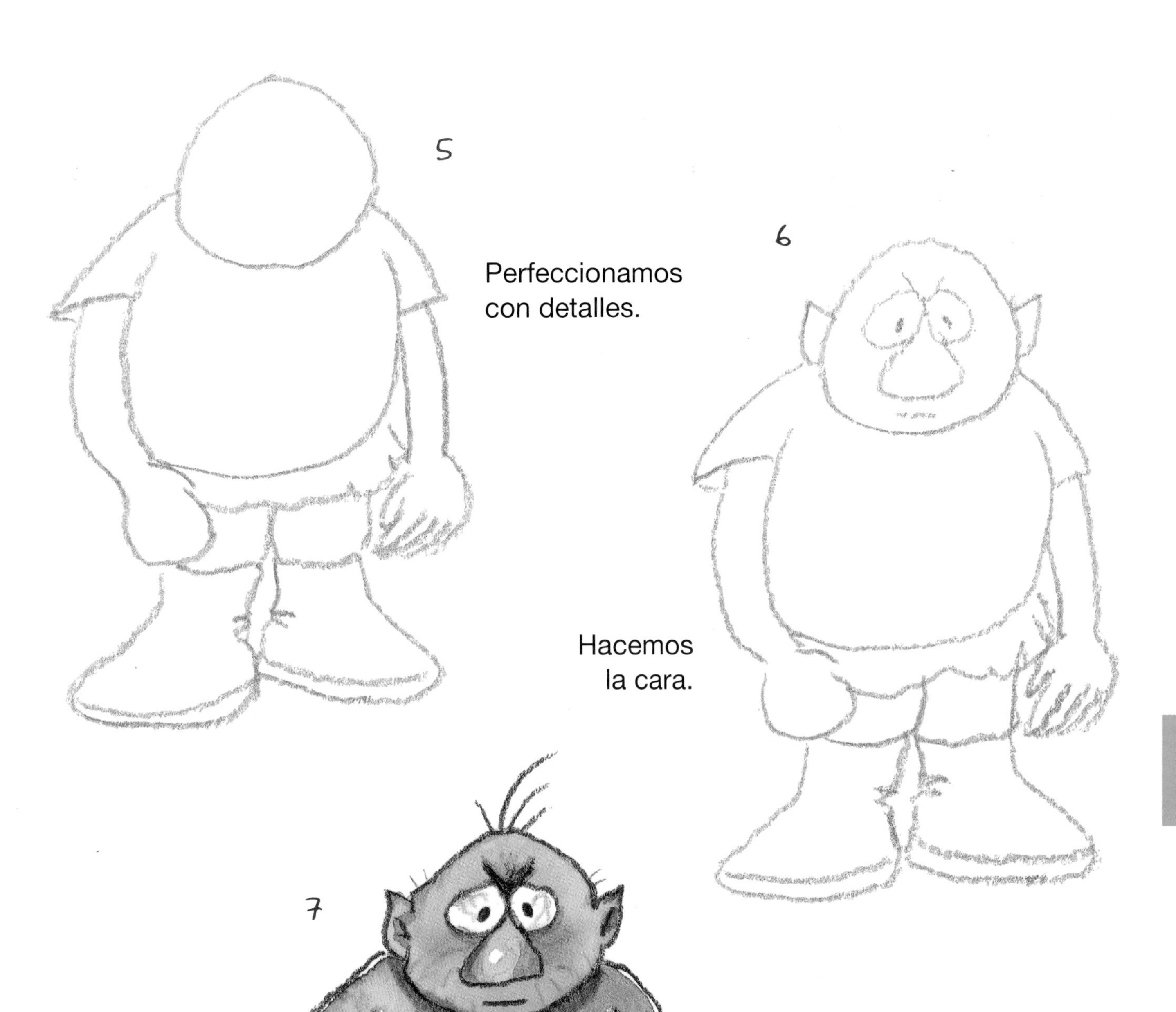

Perfeccionamos con detalles.

Hacemos la cara.

7

¡PINTAMOS!

El ogro es un hombre muy alto y desproporcionado, malhumorado y avaricioso. Siempre huele bastante mal. El color de su piel puede ser azul, verde, violeta o marrón.

UNICORNIO

¡Fíjate! Un triángulo, un rectángulo y cuatro líneas.

Damos volumen a las patas.

Damos volumen al cuello.

Redondeamos la forma.

Perfeccionamos las patas y hacemos la cola.

Ahora una crin muy hermosa.

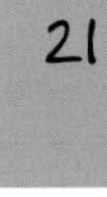

Lo perfeccionamos y...
PINTAMOS.

El unicornio es un animal fantástico con cuerpo de caballo y un cuerno en la frente. Es muy amigo de las hadas y de los duendes.

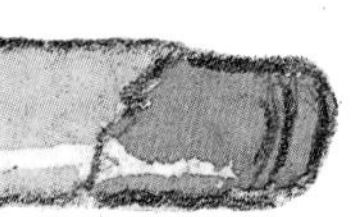

DRAGONES

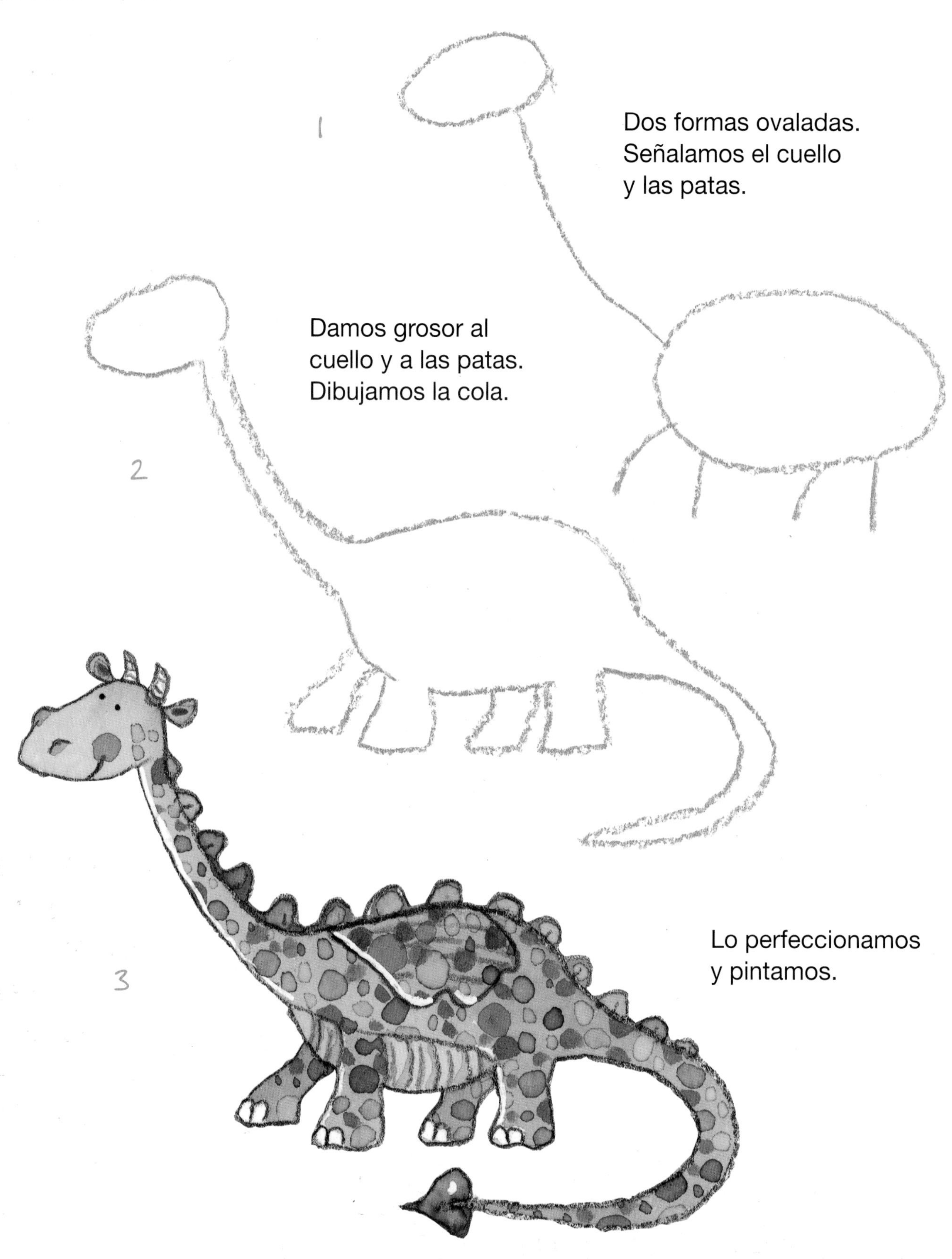

Dos formas ovaladas. Señalamos el cuello y las patas.

Damos grosor al cuello y a las patas. Dibujamos la cola.

Lo perfeccionamos y pintamos.

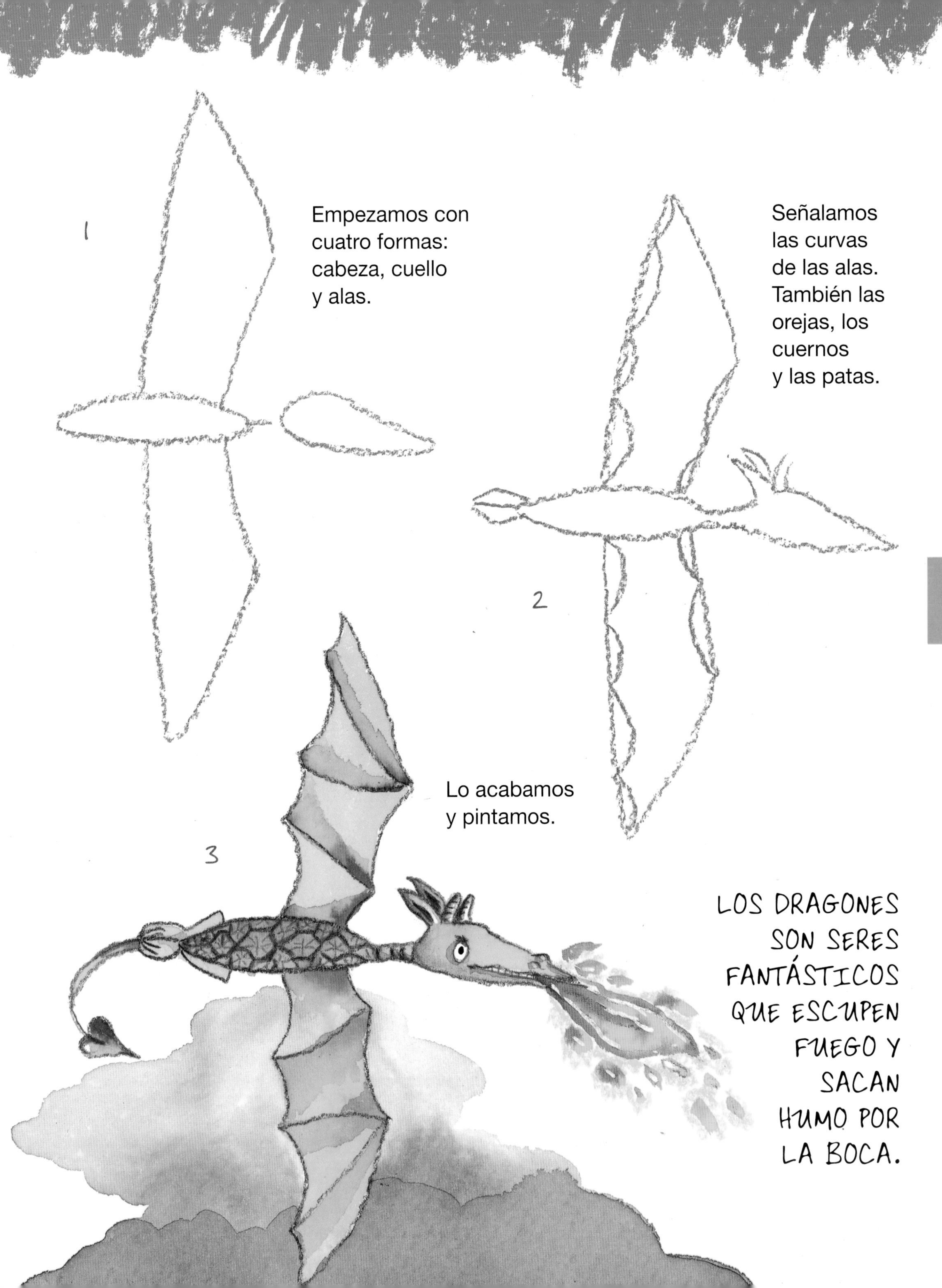
1
Empezamos con
cuatro formas:
cabeza, cuello
y alas.
Señalamos
las curvas
de las alas.
También las
orejas, los
cuernos
y las patas.
2
Lo acabamos
y pintamos.
3
LOS DRAGONES
SON SERES
FANTÁSTICOS
QUE ESCUPEN
FUEGO Y
SACAN
HUMO POR
LA BOCA.

SIRENA

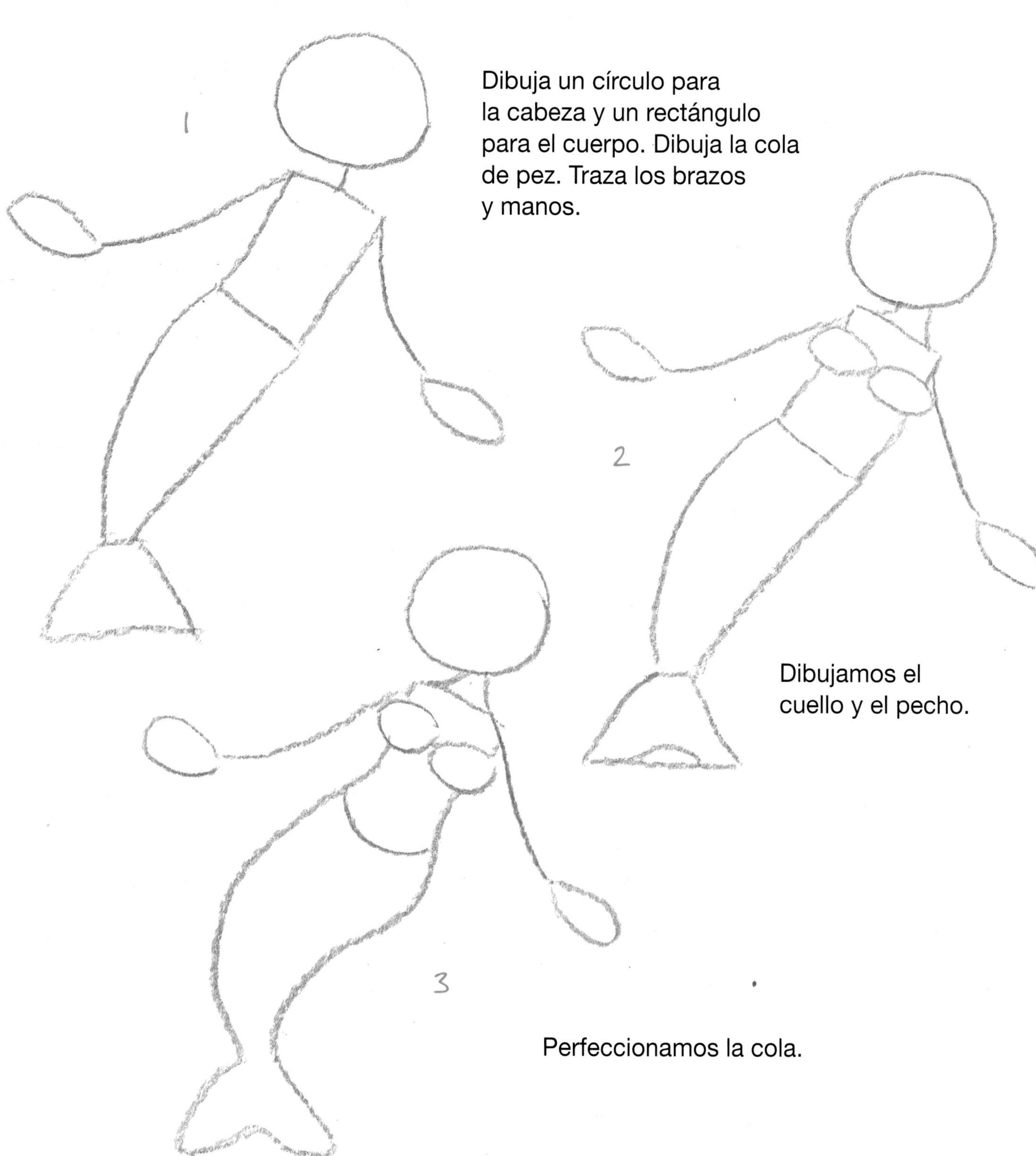

Dibuja un círculo para la cabeza y un rectángulo para el cuerpo. Dibuja la cola de pez. Traza los brazos y manos.

Dibujamos el cuello y el pecho.

Perfeccionamos la cola.

4

Añadimos volumen a los brazos
y dibujamos las manos.

NO OLVIDES EL CABELLO
CON LA ESTRELLA DE MAR.

Sirena: Ninfa con cola de pez
y voz melodiosa. Atrae a los
marineros con sus cantos y
guarda sus tesoros en las cuevas
del fondo del mar.

5

ARLEQUÍN

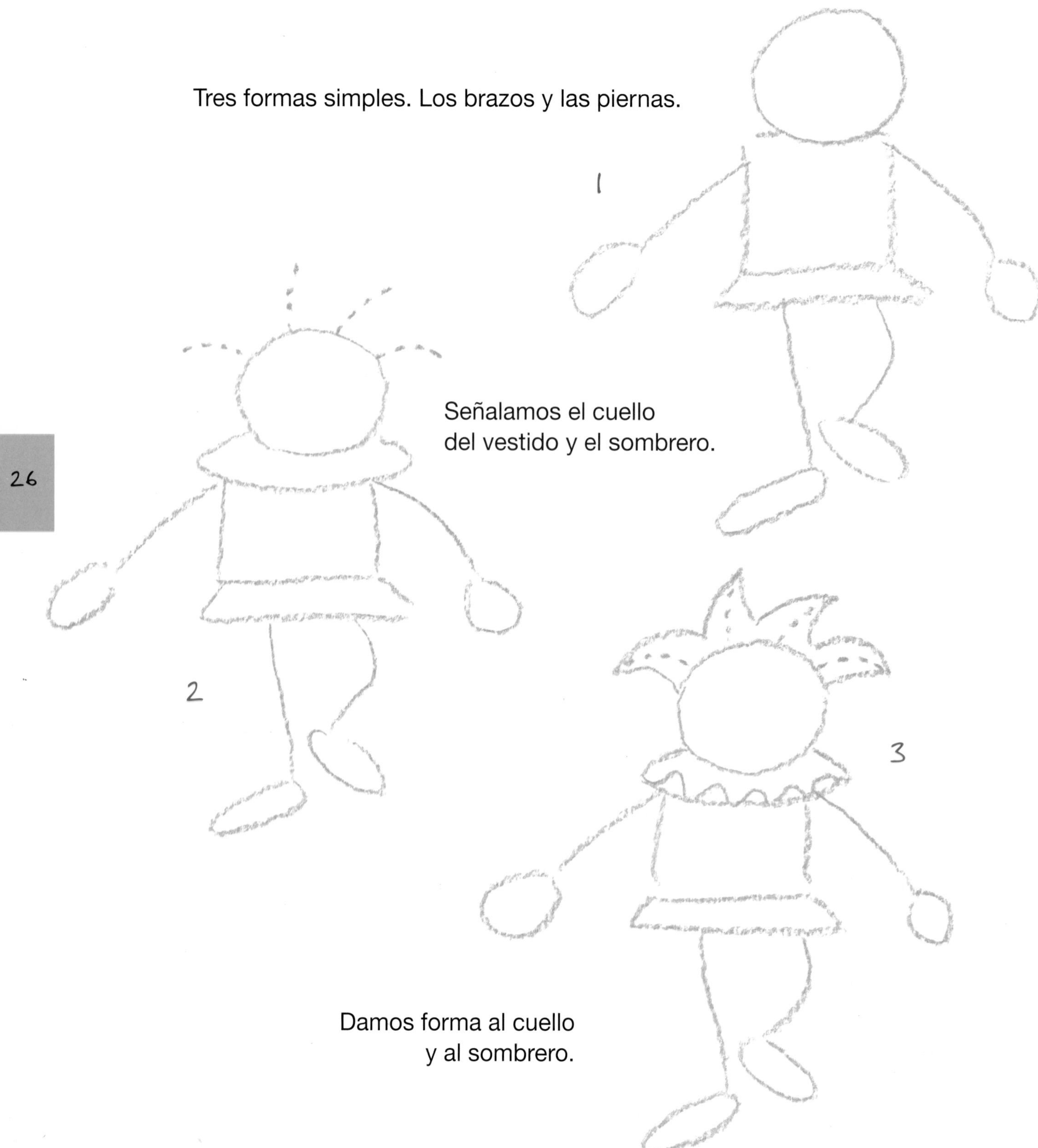

Tres formas simples. Los brazos y las piernas.

Señalamos el cuello
del vestido y el sombrero.

Damos forma al cuello
y al sombrero.

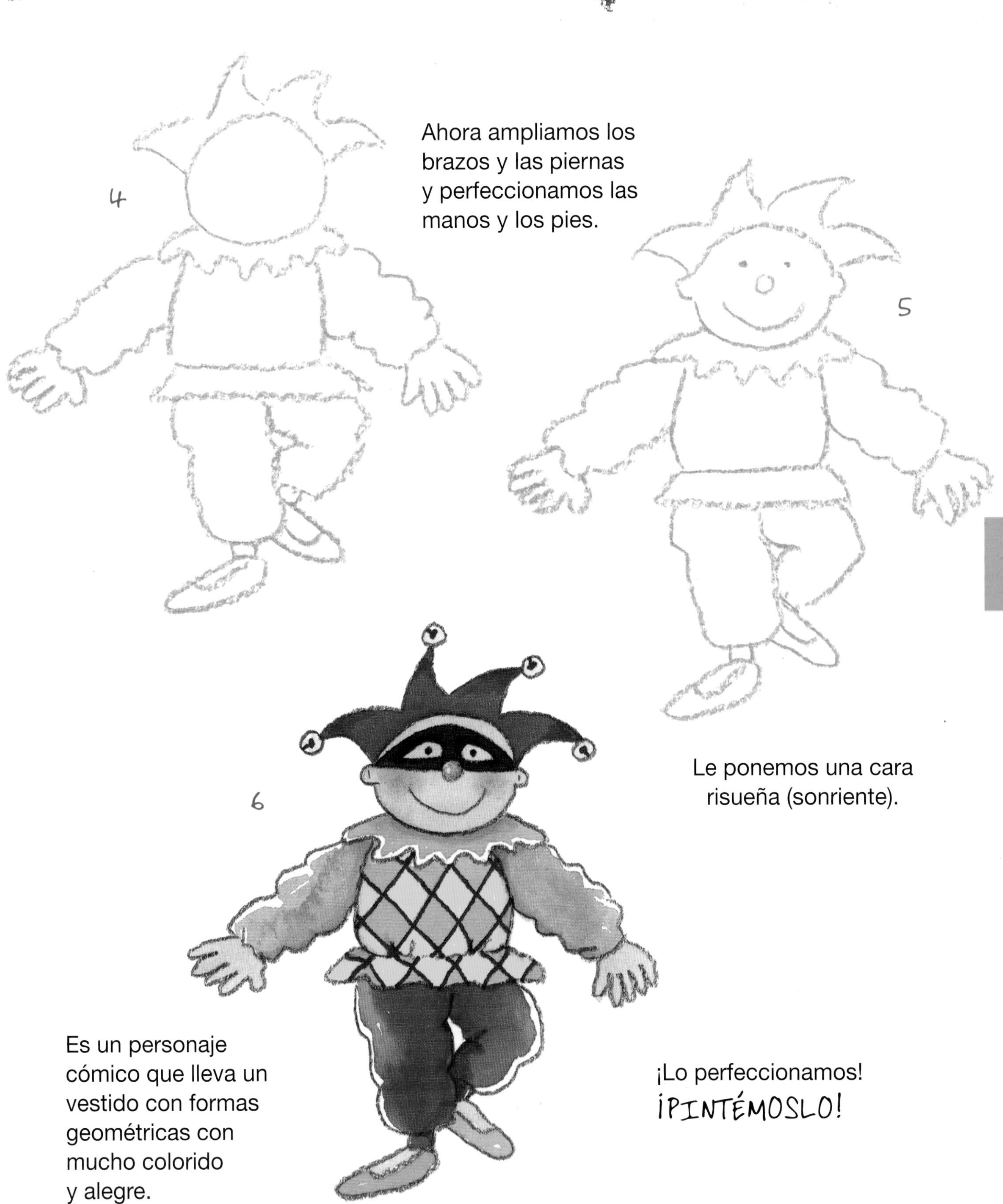

Ahora ampliamos los brazos y las piernas y perfeccionamos las manos y los pies.

Le ponemos una cara risueña (sonriente).

Es un personaje cómico que lleva un vestido con formas geométricas con mucho colorido y alegre.

¡Lo perfeccionamos!
¡PINTÉMOSLO!

INDIA

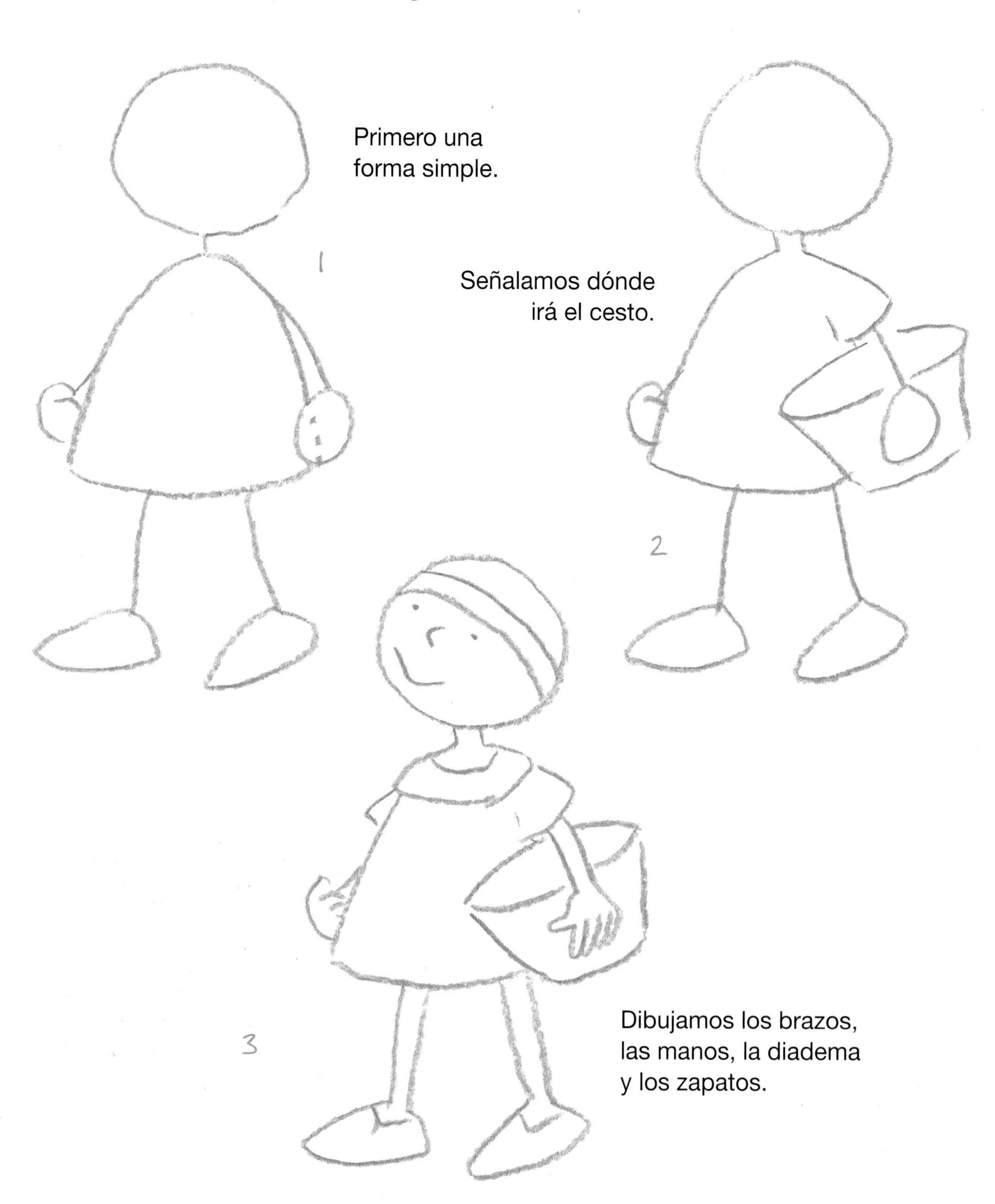
Primero una
forma simple.
1
Señalamos dónde
irá el cesto.
2
3
Dibujamos los brazos,
las manos, la diadema
y los zapatos.

Le ponemos dos largas coletas
y un par de plumas.

Perfeccionamos
los detalles.

¡Pintamos!

LAS INDIAS SON
MUY SABIAS.
Conocen estupendamente
bien la Madre Tierra.
Están muy unidas al agua,
a los animales y a las
plantas por las que sienten
un gran respeto.

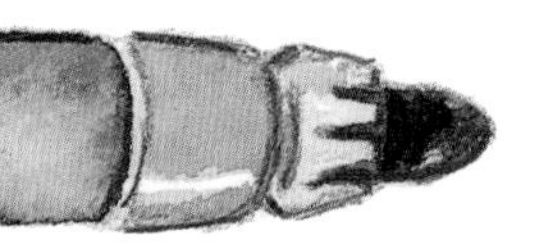

JEFE DE LA TRIBU

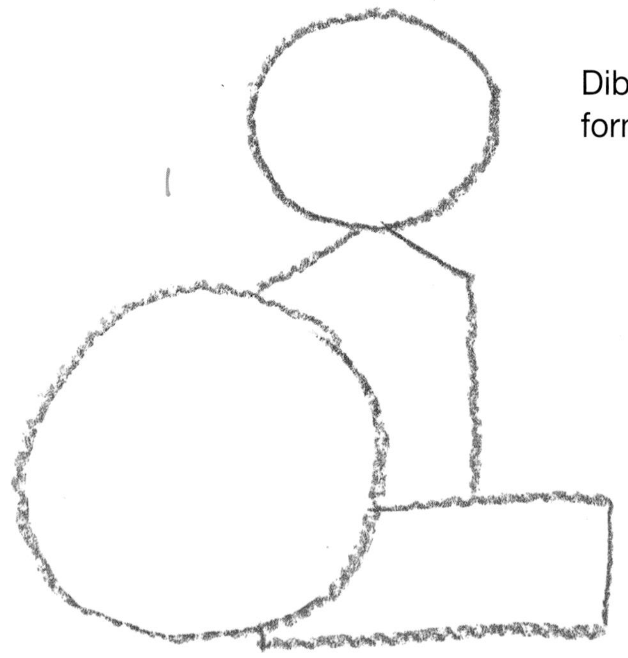

Dibujamos estas
formas geométricas.

Ahora el brazo
y la pierna.

Pintamos el pelo,
la mano y la cinta.

Mejoramos el dibujo haciendo el brazo más amplio y poniéndole dos plumas al lado.

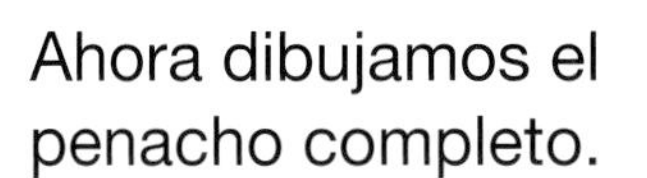
Ahora dibujamos el penacho completo.

Acabamos con los detalles y lo pintamos.

EL JEFE DE LA TRIBU ES EL PERSONAJE MÁS IMPORTANTE DE SU GRUPO.

MAGO

Dos formas muy sencillas.
Señalamos los brazos y las piernas.

Con líneas muy rectas hacemos la túnica.

Ahora el cuello, las mangas y el lazo.

Perfeccionamos las manos y le ponemos un sombrero en la cabeza.

Lo perfeccionamos.

Los hombres que hacen magia son capaces de sacar estrellas y pañuelos de colores de su varita y también de sacar un ramo de flores, palomas y hasta un conejo de un sombrero vacío.

PAYASA

Tres formas simples.

Ahora el cuello, los brazos, las manos y los pies.

Dibujamos los pantalones con tirantes.

Le ponemos una cara muy risueña.

Colocamos un sombrero con flores y la peinamos con dos trenzas.

La perfeccionamos y pintamos.

LOS PAYASOS SON PERSONAJES DEL CIRCO QUE SE DEDICAN A HACER REÍR AL PÚBLICO.

PIRATA

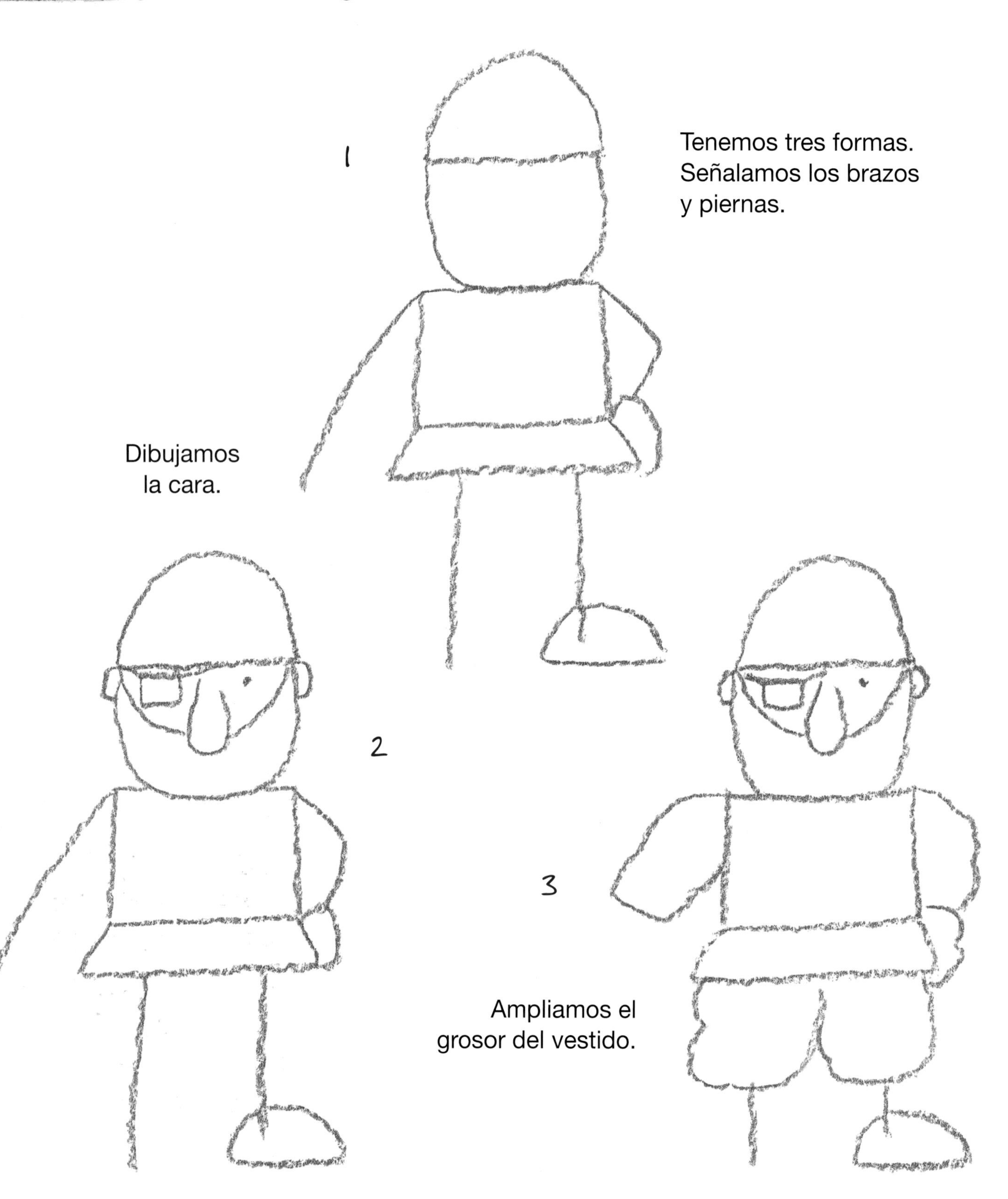
1
Tenemos tres formas.
Señalamos los brazos
y piernas.
Dibujamos
la cara.
2
3
Ampliamos el
grosor del vestido.

4
¡Atención!
Retocamos el sombrero, le ponemos un garfio y una pierna de madera.
¡Lo perfeccionamos!
5
¡Lo pintamos!
6
LOS PIRATAS NAVEGAN POR LOS MARES ATACANDO A LOS BARCOS QUE ENCUENTRAN PARA ROBARLES EL BOTÍN.

PRÍNCIPE

Empezamos con formas muy sencillas.

Ahora dibujamos el sombrero, fíjate en la línea de puntos que tendrás que borrar. Ponle unas botas.

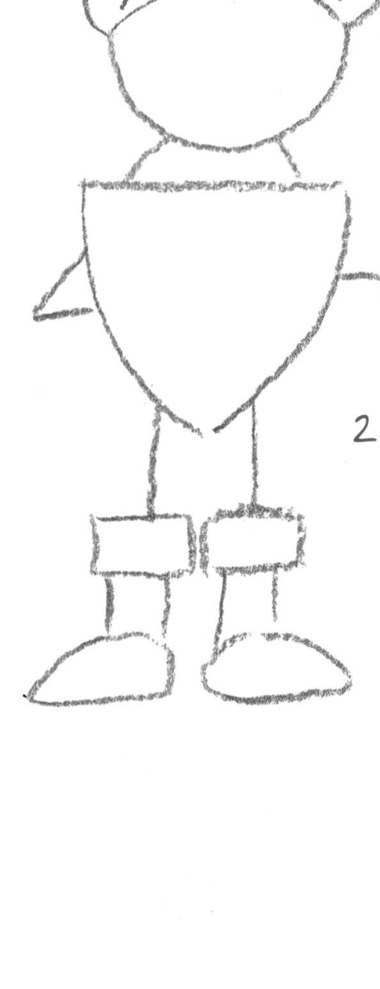

Dale grosor a las piernas y traza el vestido que queda medio escondido detrás de la coraza.

4

Ponle una lanza en la mano.

5

Y ahora para terminar ponle la capa.

LOS PRÍNCIPES DE LOS CUENTOS SON TAN VALIENTES QUE SALVAN A LAS PRINCESAS DE LOS ENCANTAMIENTOS DE LOS MALVADOS PERSONAJES.

Perfecciona los detalles y no te olvides de los ojos, la nariz, la boca y el cabello.

6

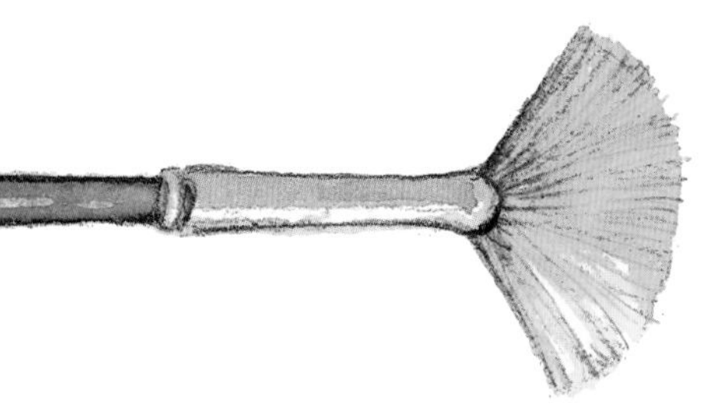

PRINCESA

Dos formas sencillas y
señalamos los brazos.

1

Marcamos la cintura
y dibujamos el cabello.

2

3

Perfeccionamos el
vestido con el dibujo
del cuello y de las
mangas.

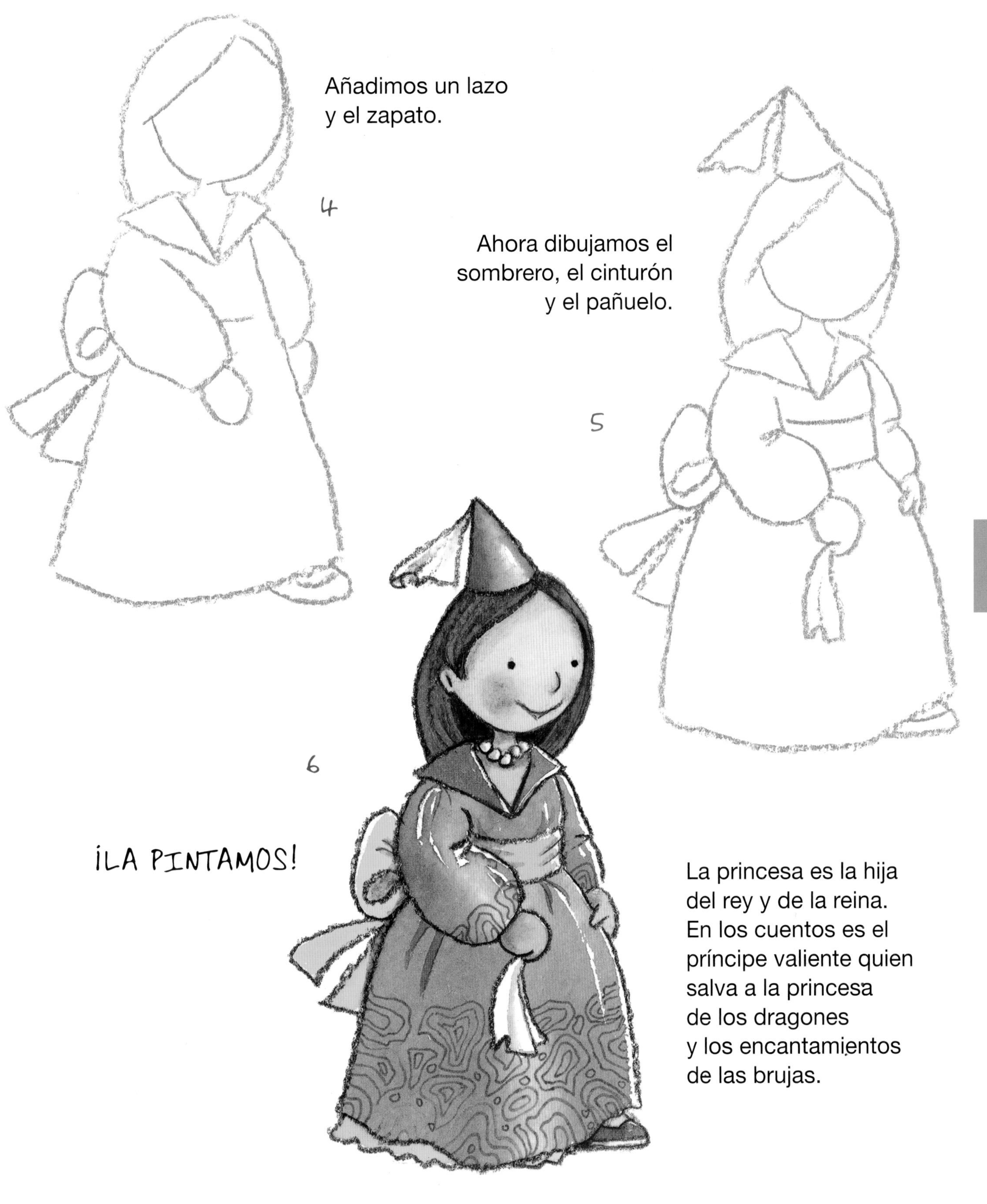

Añadimos un lazo
y el zapato.

4

Ahora dibujamos el
sombrero, el cinturón
y el pañuelo.

5

6

¡LA PINTAMOS!

La princesa es la hija
del rey y de la reina.
En los cuentos es el
príncipe valiente quien
salva a la princesa
de los dragones
y los encantamientos
de las brujas.

REY

Empezamos con dos formas simples.

1

Dibuja la nariz, las orejas, la barba y el cuello del vestido.

2

Ahora ve dando forma al vestido. Fíjate en la forma geométrica de las mangas y señala las manos.

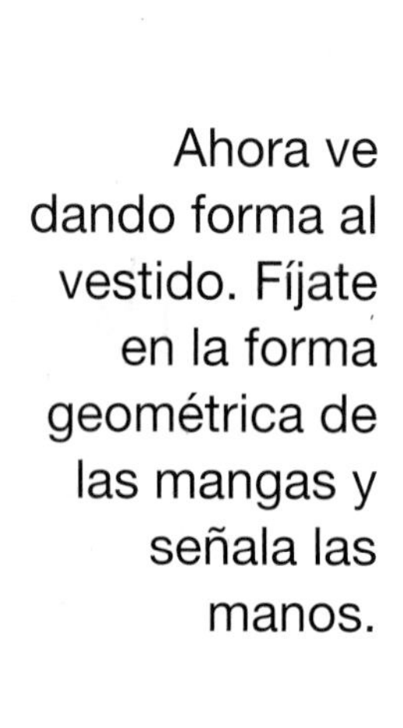

3

Ponle una corona
y perfecciona
las manos.

Hazle la cara
y colócale
el cetro.

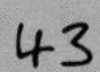

EL REY ES EL QUE
RIGE UN REINO.
VIVE EN UN PALACIO
O EN UN CASTILLO.

REINA

Para empezar dos formas muy sencillas.

1

Traza la capa
y la corona.

2

3

Haz las mangas y las manos.

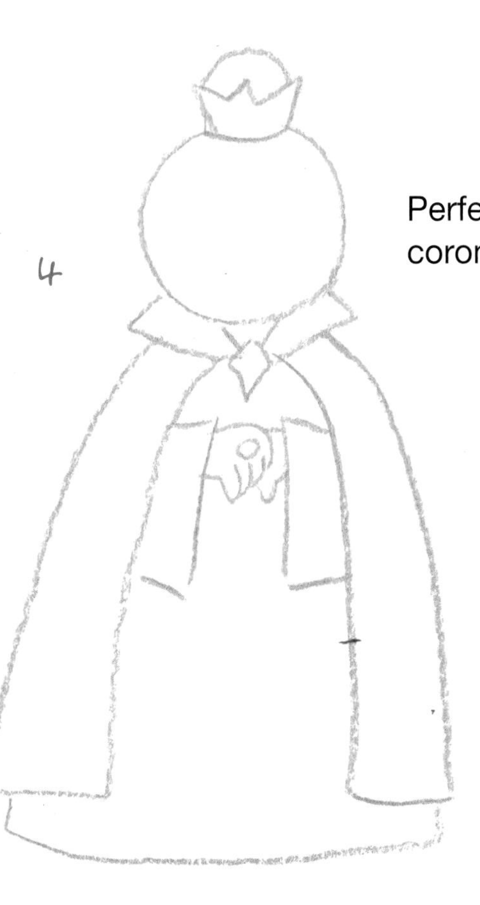

Perfecciona la
corona y las manos.

NO TE OLVIDES
DEL CUELLO.

5

Ahora ponle el pelo
y un cinturón.

6

Acaba de hacerle
la cara y píntala.

La reina es la regidora
del reino. Puede
gobernar sola
o acompañada
del rey.

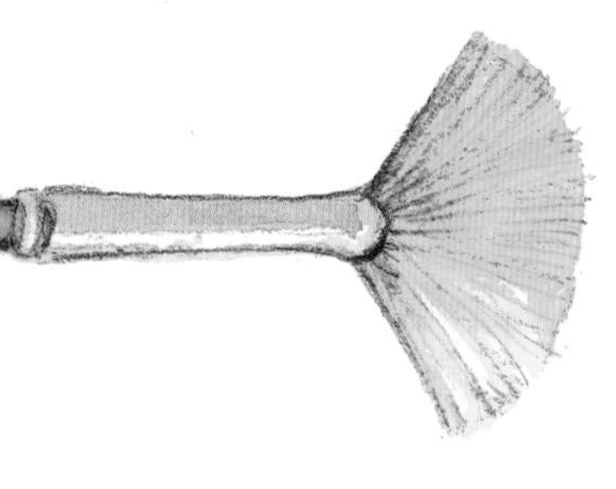

PEQUEÑOS ANIMALES MARINOS

No es difícil dibujar una ESTRELLA DE MAR.

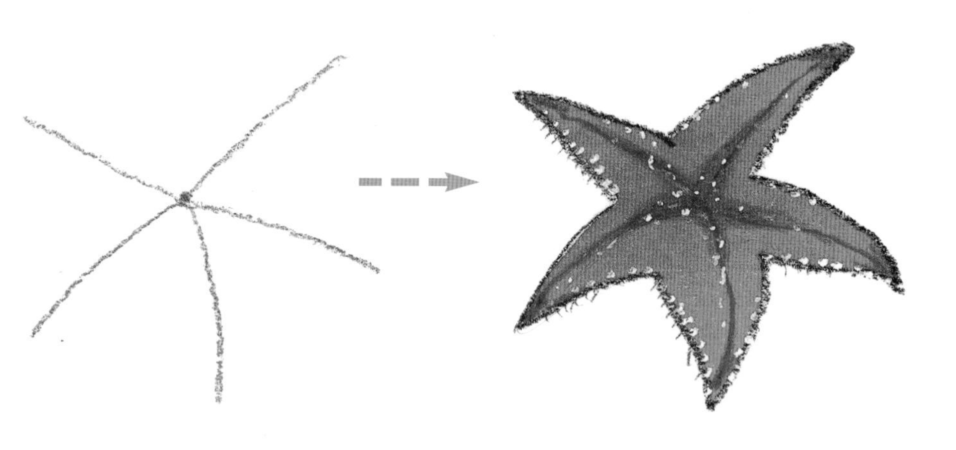

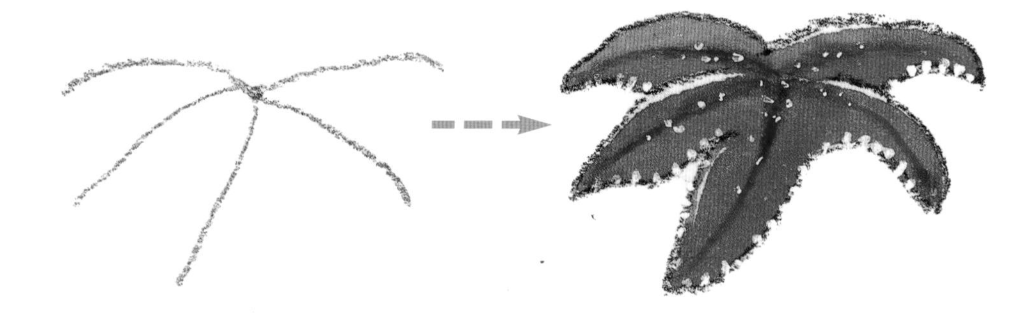

Fíjate bien.
Tienes el centro
y cinco brazos.

También puedes dibujar una CONCHA.
Es muy fácil.

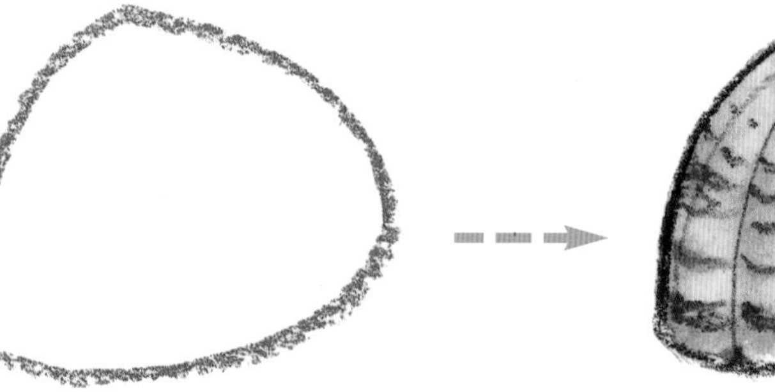

Ahora dibujamos una MEDUSA en tres pasos.

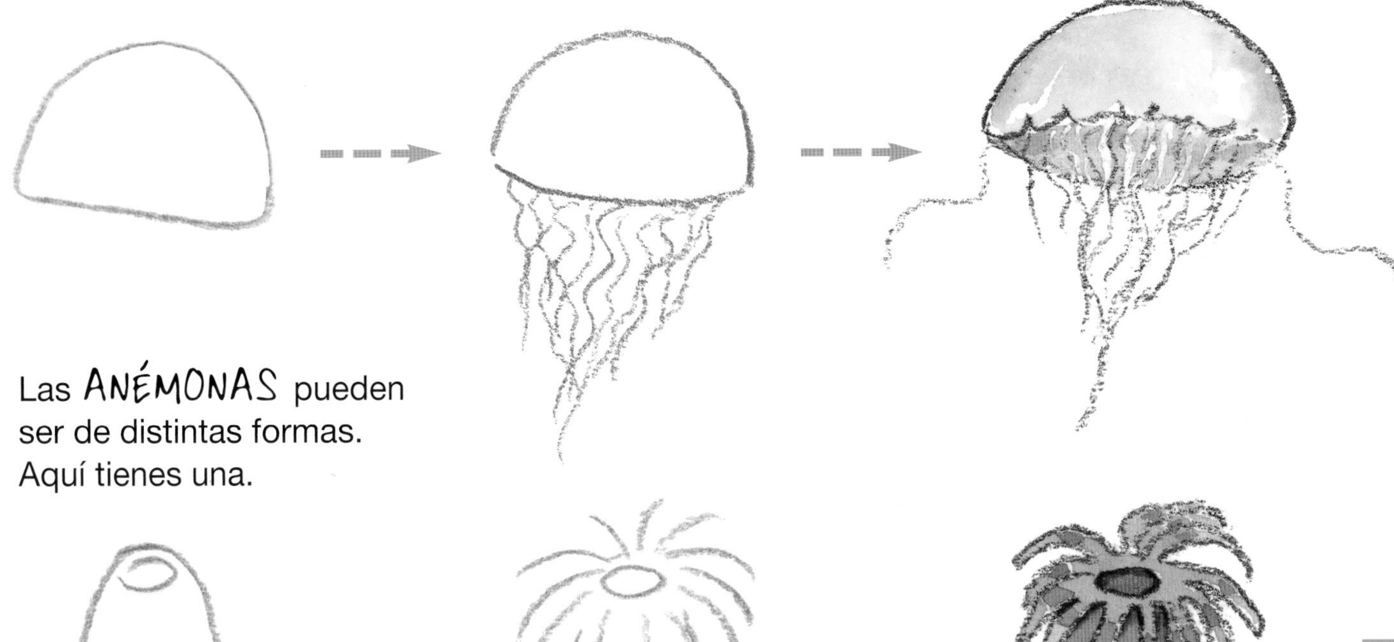

Las ANÉMONAS pueden ser de distintas formas. Aquí tienes una.

Las CARACOLAS tampoco son difíciles de dibujar.

Finalmente, dibujamos una LAPA.

FOCA

1

Dos óvalos.

2

Cuatro aletas.

Les damos forma a
las cuatro aletas.

3

4

¡LA PINTAMOS!

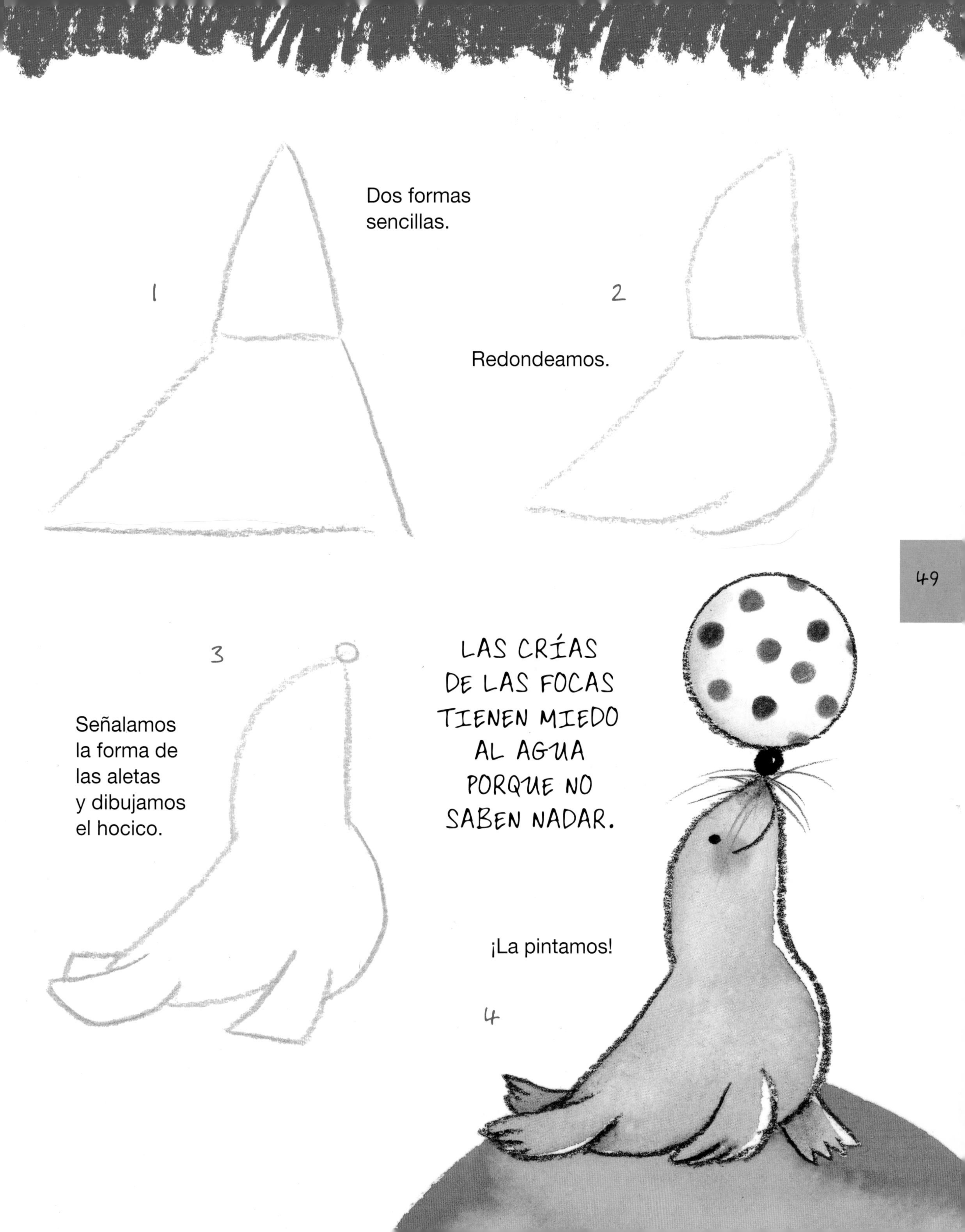
Dos formas
sencillas.
1
2
Redondeamos.
3
Señalamos
la forma de
las aletas
y dibujamos
el hocico.
LAS CRÍAS
DE LAS FOCAS
TIENEN MIEDO
AL AGUA
PORQUE NO
SABEN NADAR.
¡La pintamos!
4

PECES

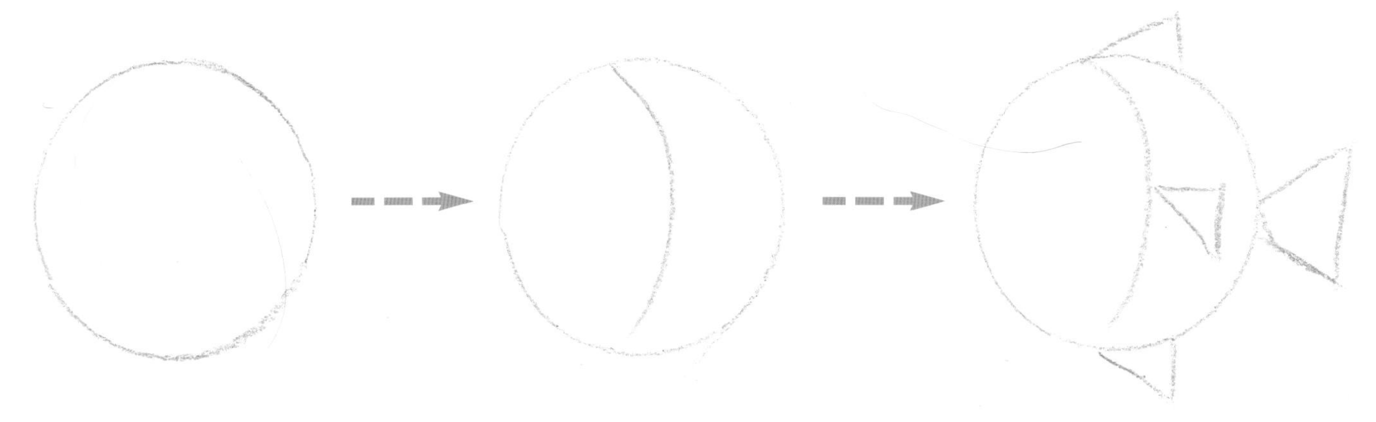

Un círculo.

Trazamos una línea en el interior del círculo.

Con cuatro triángulos dibujamos las aletas y la cola.

Señalamos el ojo y la boca.

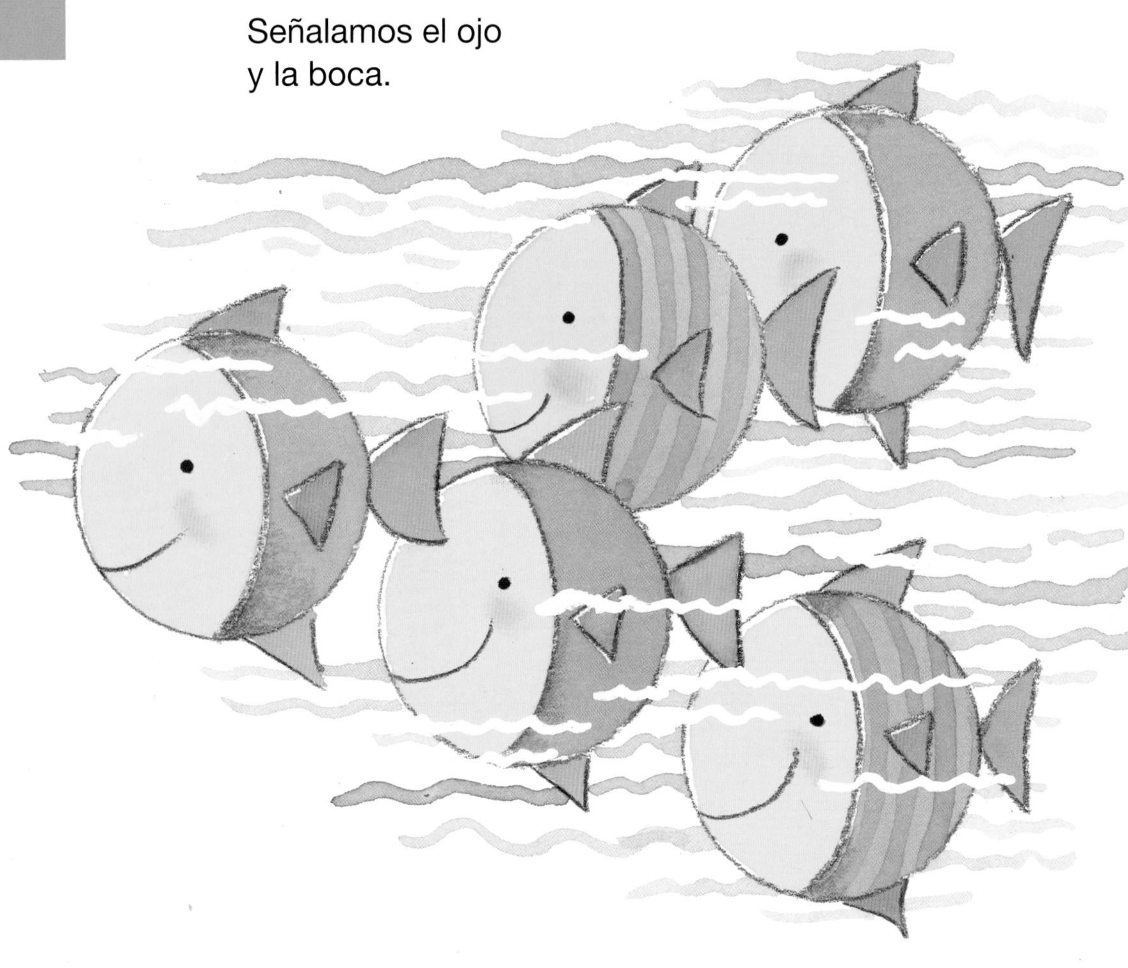

EN EL FONDO DEL MAR HAY BANCOS DE PECES, SON GRUPOS DE LA MISMA ESPECIE QUE NADAN JUNTOS.

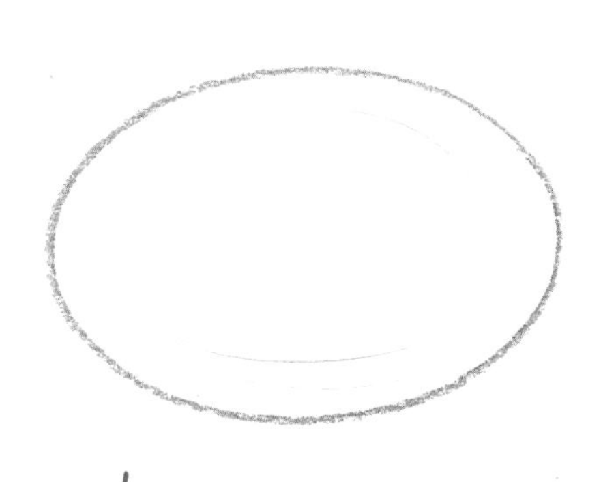

1

Una forma
ovalada.

2

Las aletas y la cola.

3

Los ojos, la boca
y pintamos.

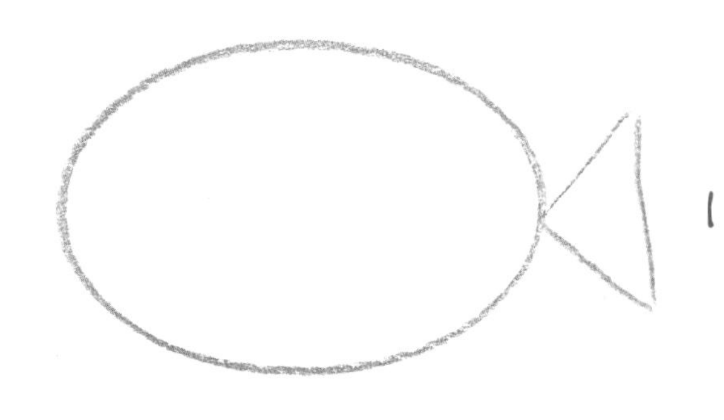

1

EL LENGUADO ES UN PEZ PLANO QUE TIENE MIMETISMO, ES DECIR, EL COLOR DE SU CUERPO SE CONFUNDE CON EL COLOR DE LA ARENA.

Ahora la forma
ovalada y un
triángulo.

Señalamos el
cuerpo.

2

3

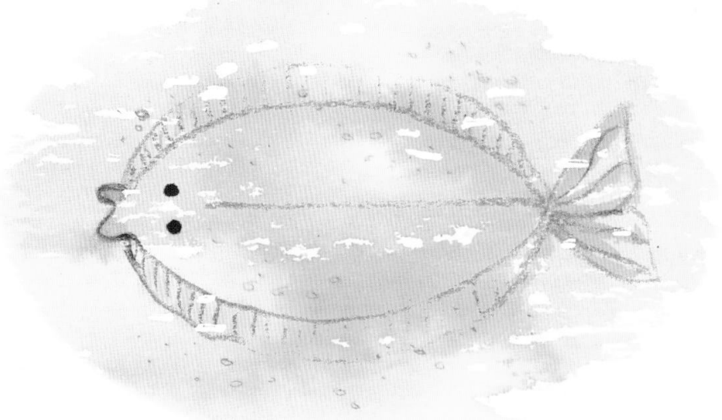

Lo perfeccionamos
y pintamos.

PINGÜINOS

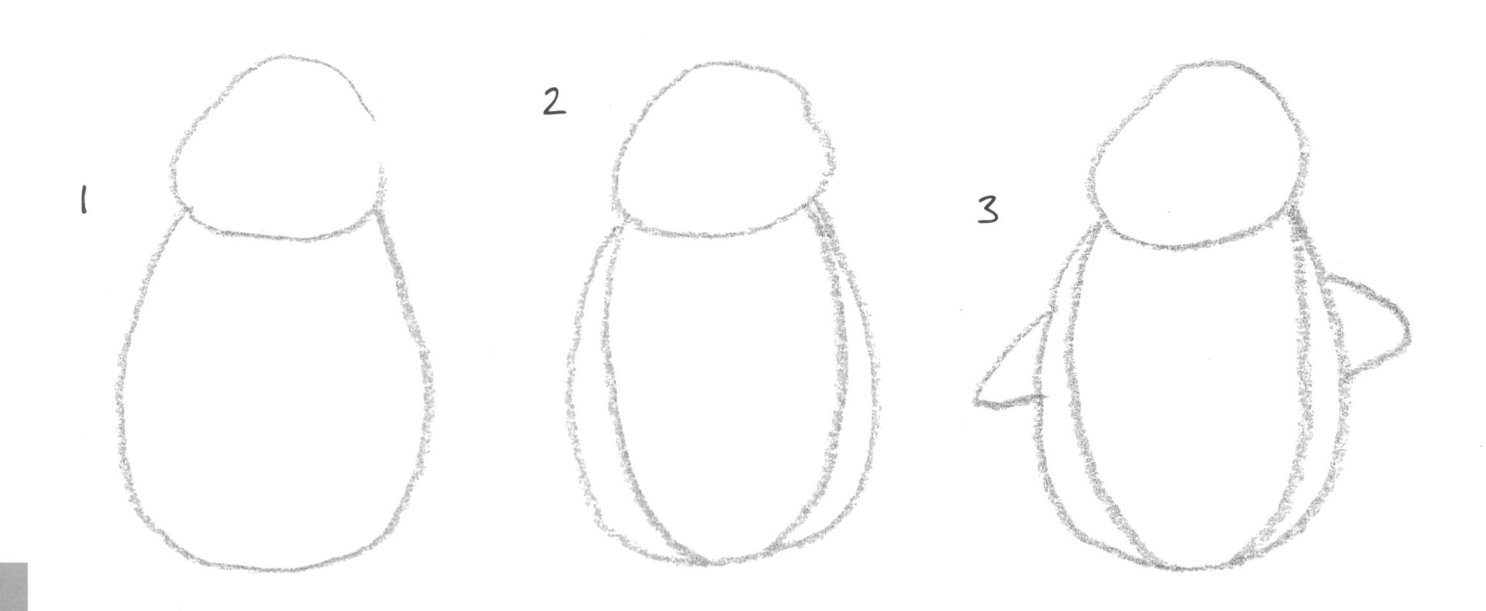

Aquí tienes dos pingüinos, uno de frente
y otro de perfil.

Sigue los seis pasos
y verás lo sencillo que
es dibujarlos.

LOS PINGÜINOS
SON UNAS AVES QUE
SE AGRUPAN PARA
PROTEGERSE DEL FRÍO.

CALAMAR

Sigue los siete pasos para dibujar el calamar.

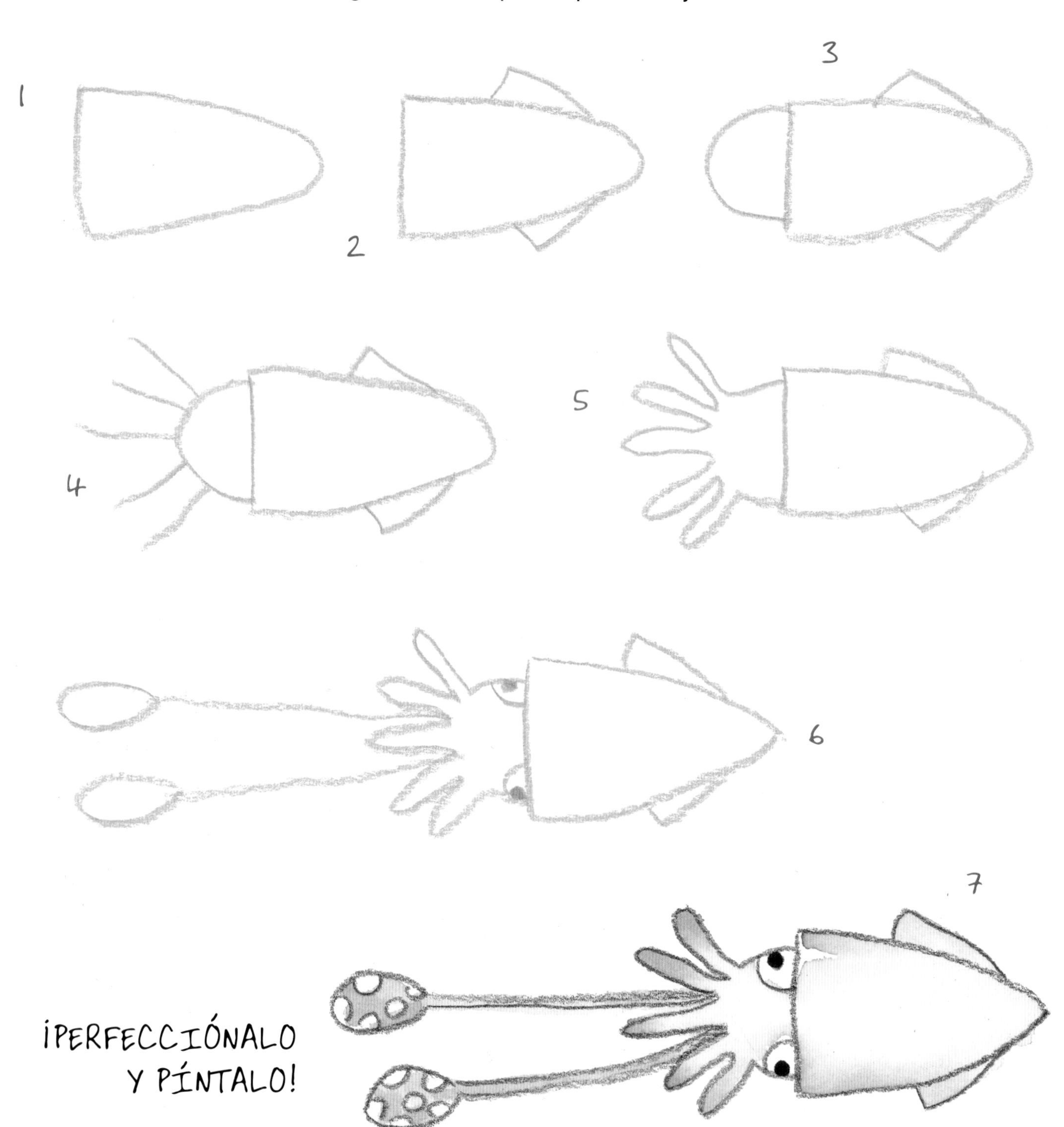

CABALLITO DE MAR

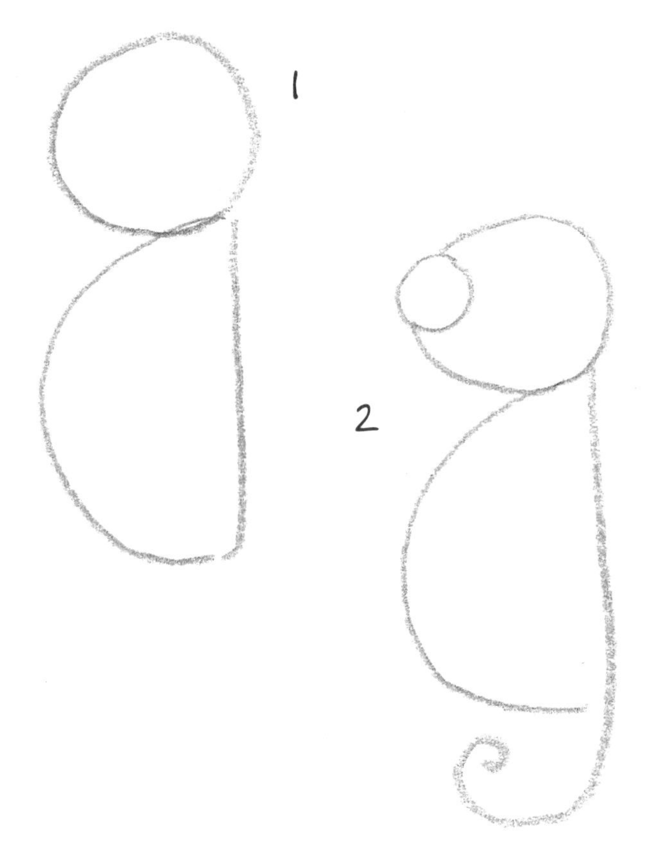

Ahora sigue los cincos pasos para hacer el caballito de mar

¡Perfecciónalo y píntalo!

¿SABÍAS QUE LOS CABALLITOS DE MAR MIDEN ENTRE UNO Y VEINTE CENTÍMETROS DE LONGITUD?

5

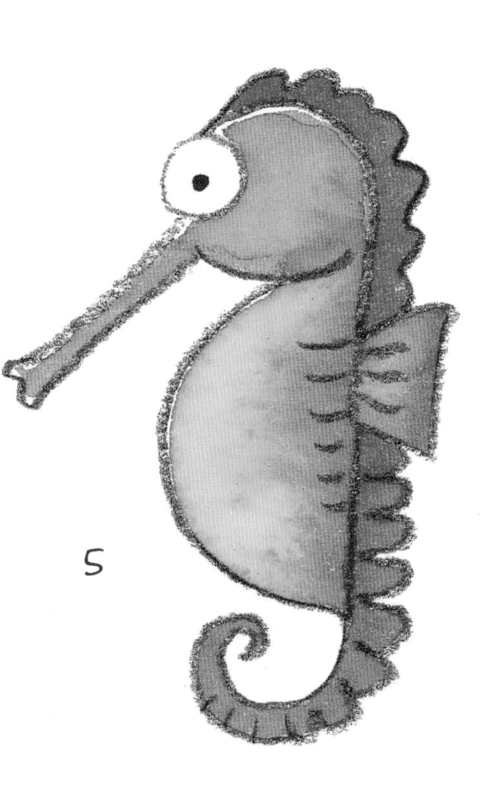

BALLENAS

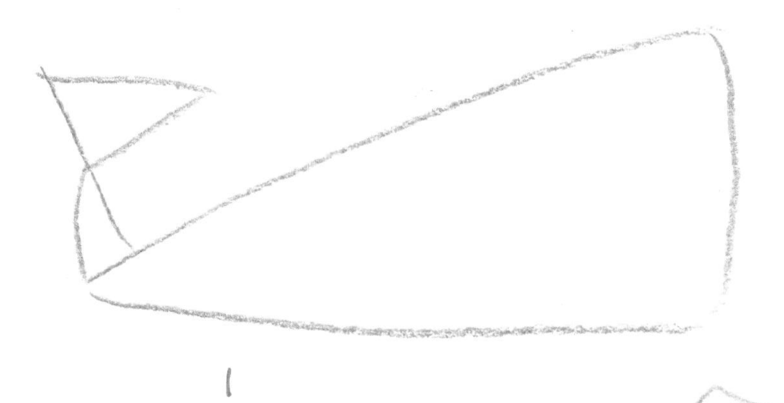

Para la primera ballena empezamos con tres formas sencillas.

1

2

Redondeamos.

3

Dibujamos las aletas y perfeccionamos la cola.

4

Perfeccionamos y pintamos.

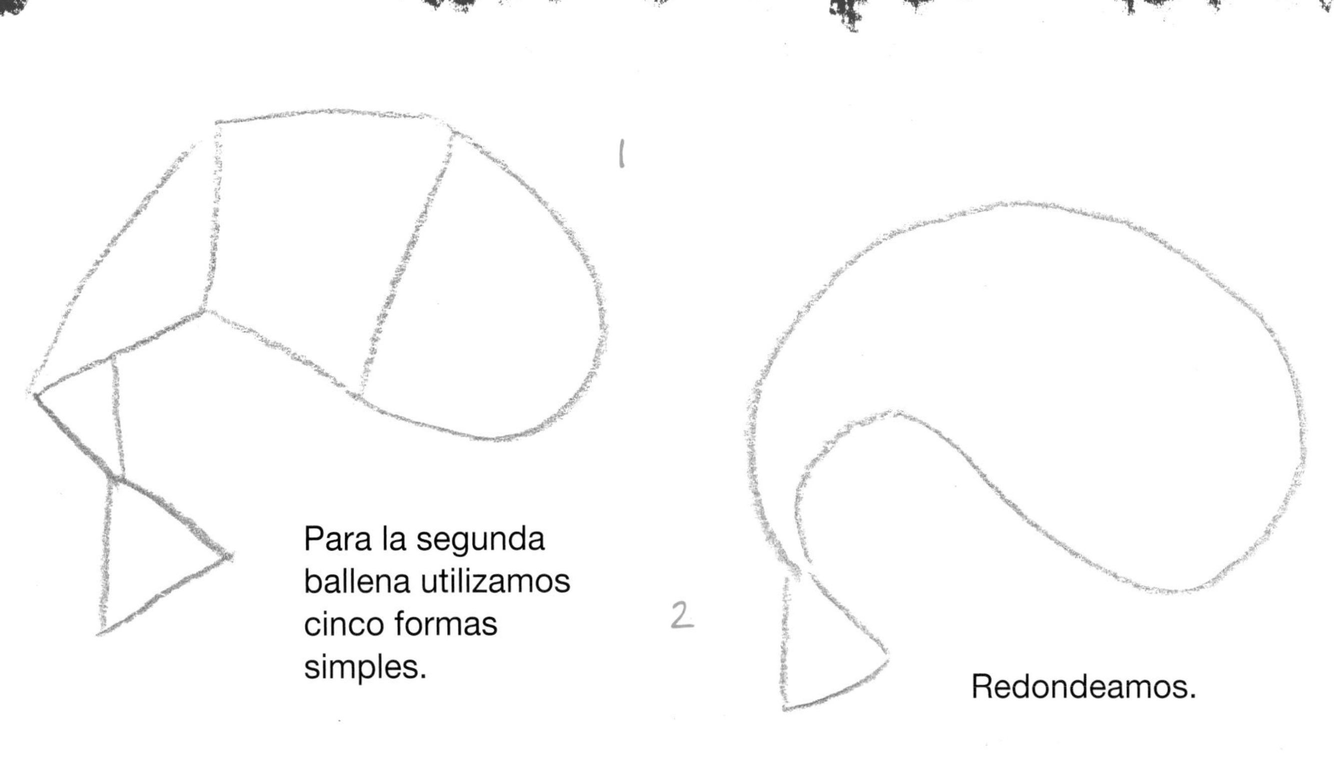

Para la segunda ballena utilizamos cinco formas simples.

Redondeamos.

Dibujamos la boca, las aletas y mejoramos la cola.

¡YA LA PODEMOS PINTAR!

DELFÍN

Empezamos con dos formas fáciles.

Dibujamos la cola y el hocico.

Redondeamos la silueta.

Ahora la boca y las aletas.

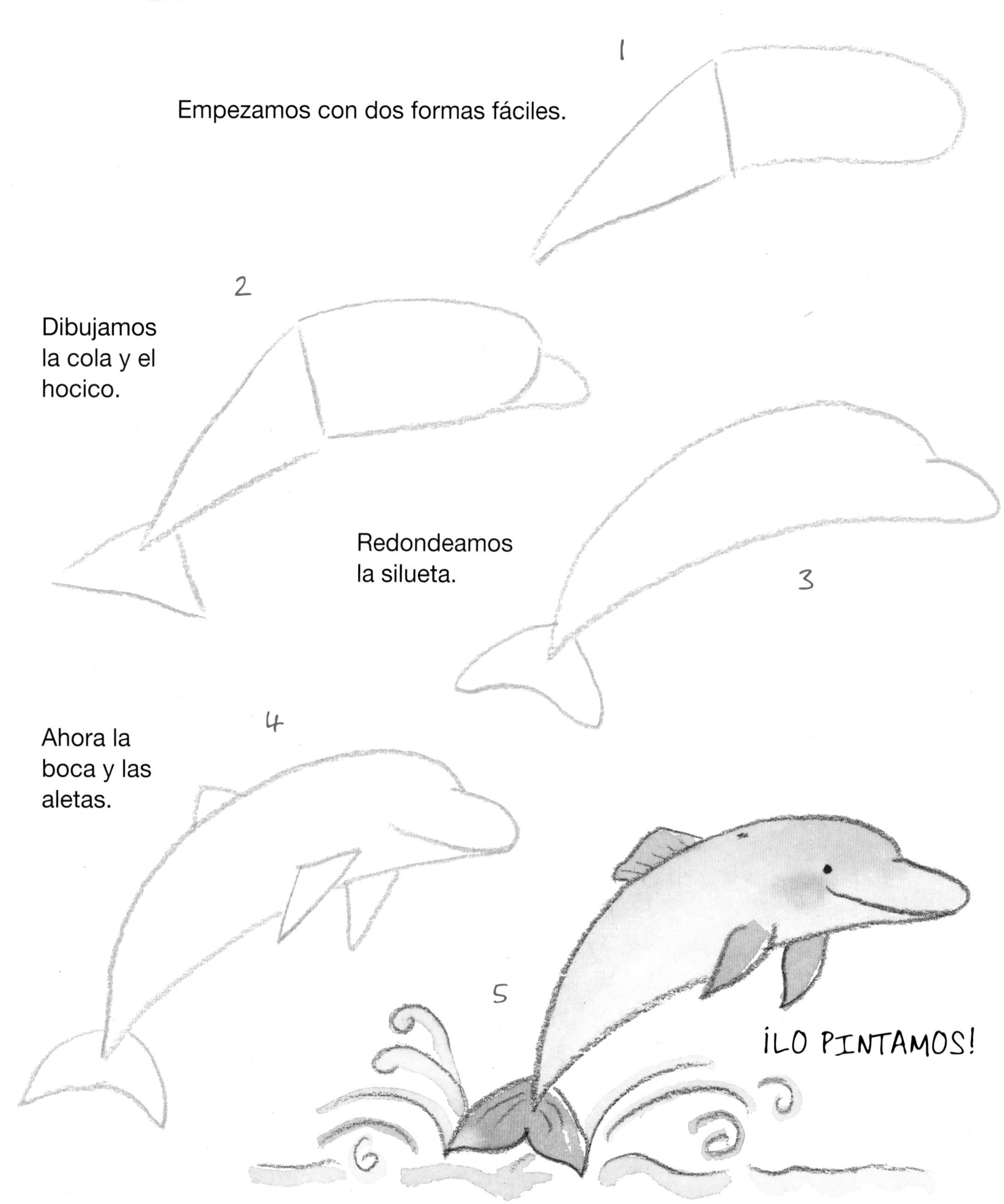

PEZ ESPADA

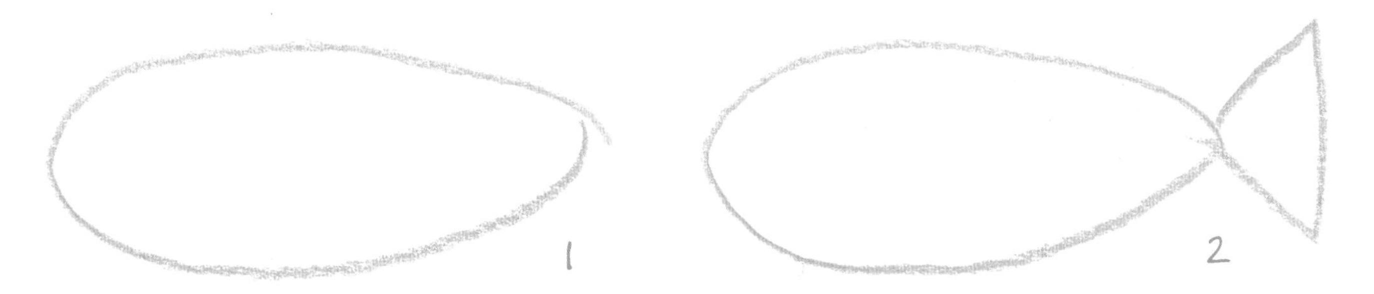

Para hacer el pez espada dibujamos una forma ovalada.

Después añadimos la cola.

No nos olvidemos ninguna aleta.

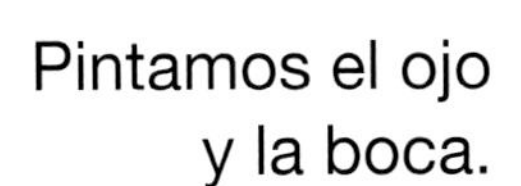

Pintamos el ojo
y la boca.

Y, para finalizar, la FORMA DE LA ESPADA.

TIBURÓN

1

Trazamos una forma
similar a una gota de agua.

2

La cola es como
una luna.

3

Le añadimos las
aletas y la boca.

Lo perfeccionamos
y pintamos.

4

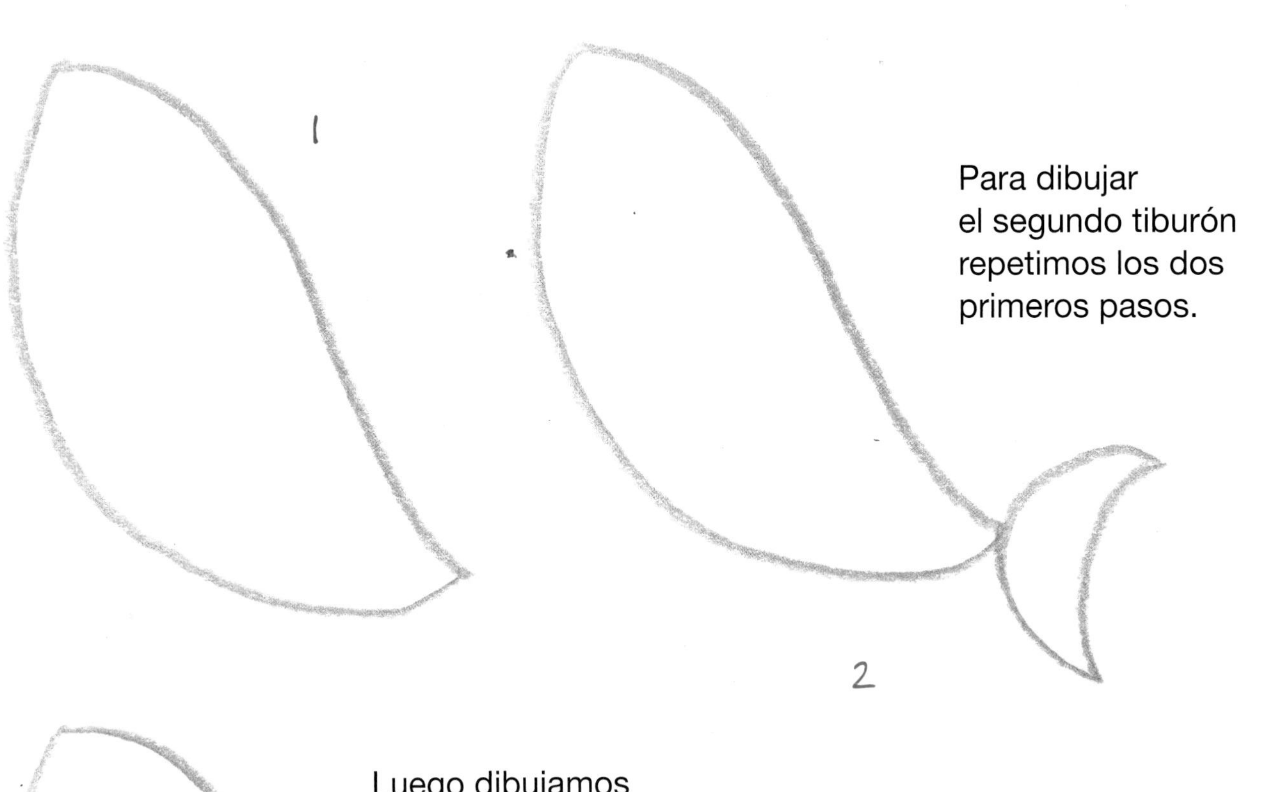

Para dibujar
el segundo tiburón
repetimos los dos
primeros pasos.

Luego dibujamos
las aletas y la boca.

LOS TIBURONES TIENEN
CINCO FILAS DE
DIENTES, POR ESTO SON
TAN PELIGROSOS

Acabamos dibujando
los ojos y los dientes.
¡Lo pintamos!

CAPITÁN DE BARCO

4

Dibujamos la chaqueta,
alargamos el suéter
y le dibujamos la barba.

Acabamos la cara
y las manos.

5

6

Lo pintamos.

EL CAPITÁN
ES EL ÚLTIMO
EN ABANDONAR EL
BARCO EN CASO
DE NAUFRAGIO.

NADADORA

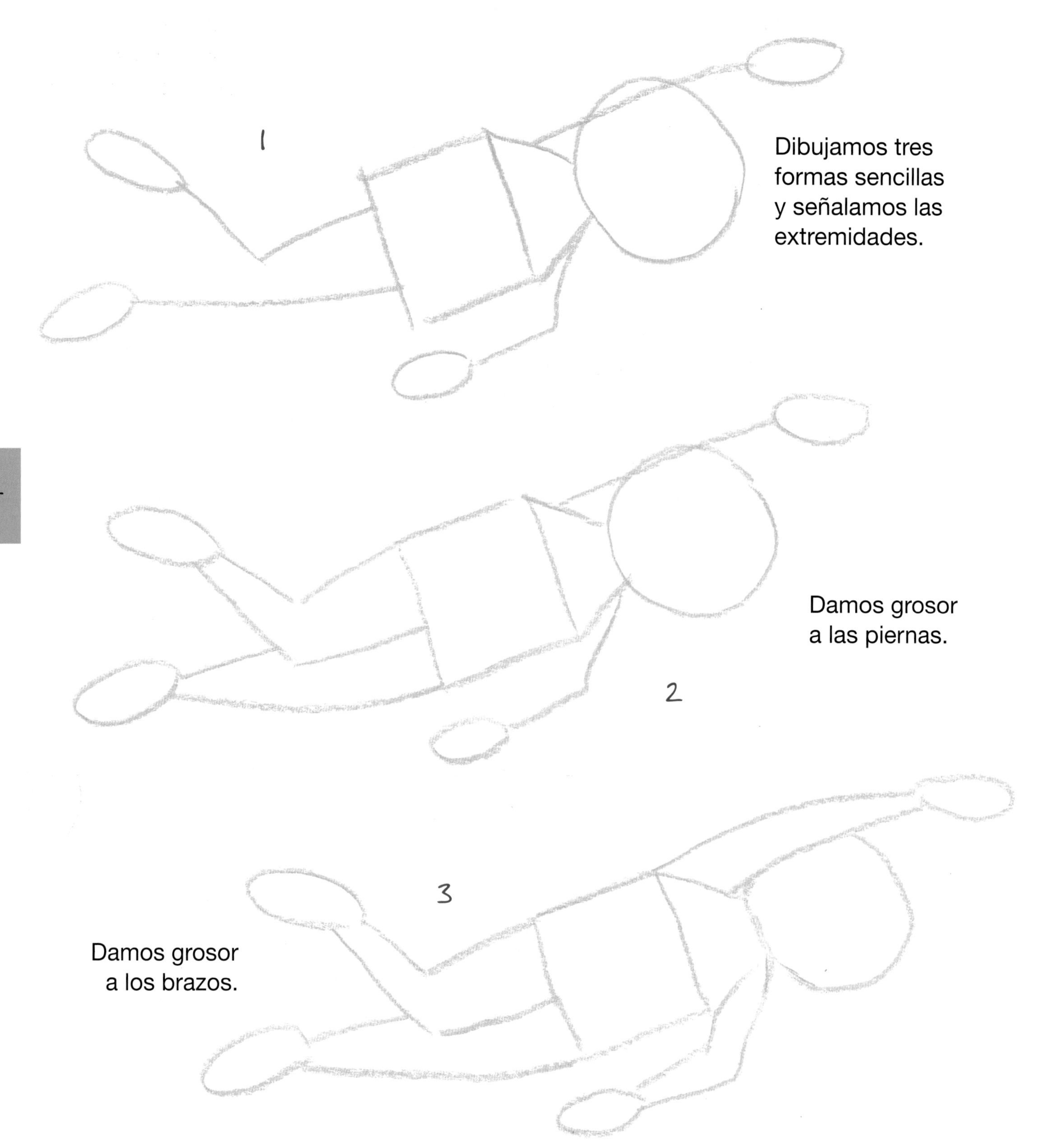

Dibujamos tres formas sencillas y señalamos las extremidades.

Damos grosor a las piernas.

Damos grosor a los brazos.

4
Dibujamos el bañador y los pies de pato.
Señalamos las gafas, el cabello y estilizamos la figura.
5
¡PERFECCIONAMOS Y PINTAMOS!
6

GALLINA

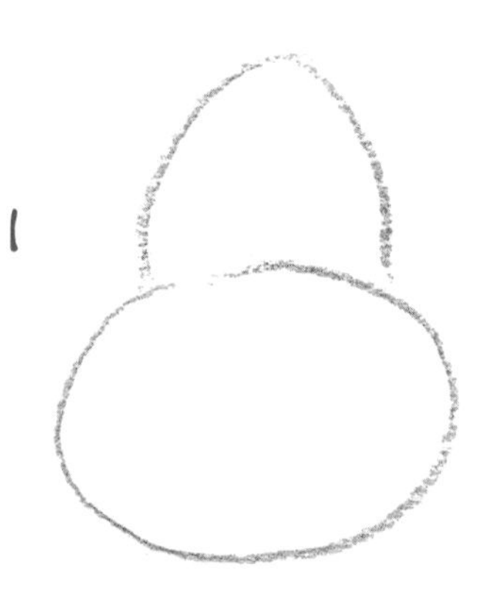

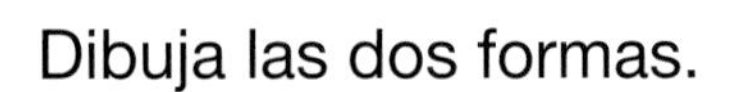

Dibuja las dos formas.

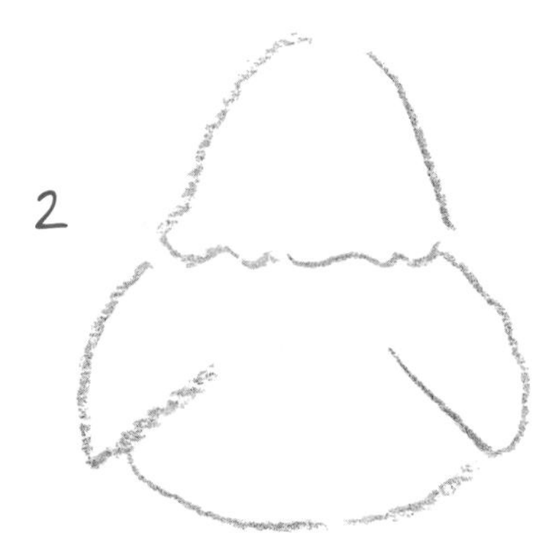

Señala las alas.

Ahora dibuja la cresta y perfecciona las alas.

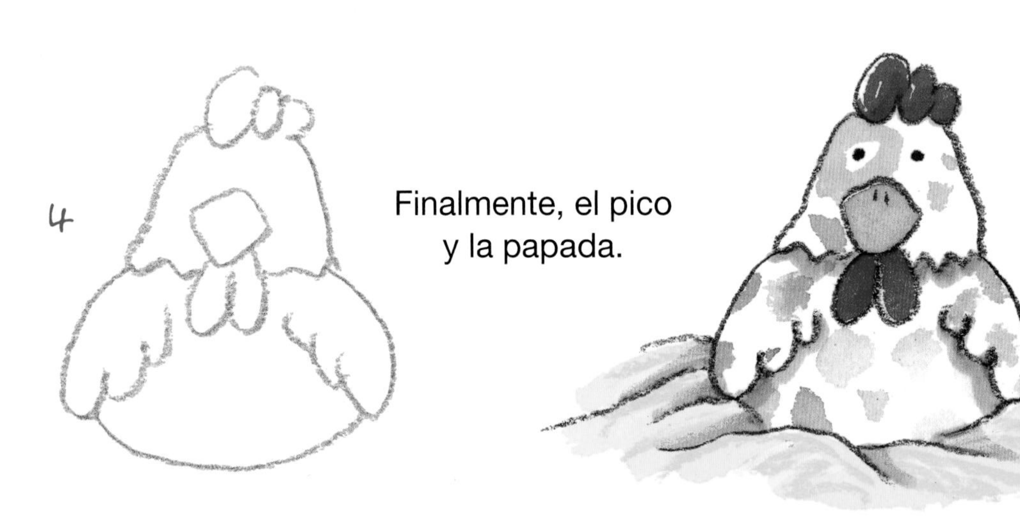

Finalmente, el pico y la papada.

Con unas líneas distintas, también podemos dibujar una gallina de espaldas.

Para dibujar una gallina derecha, sigue los seis pasos que se indican.

¡Algunos pequeños detalles antes de pintarla!

POLLITOS

Con dos formas circulares colocadas de forma distinta, puedes hacer varios pollitos.

¿SABÍAS QUE...

cuando salen del huevo están mojados?

GALLO

Tres formas sencillas
para empezar el gallo.

Señalamos el pico, la cresta,
la papada y el ala.

Dibujamos las patas
y la cola. Redondeamos.

Lo perfeccionamos
y pintamos.

OCA

Vamos a dibujar la oca desde dos puntos de vista. Dibujamos la primera de perfil.

En esta otra versión, dibujamos la oca más de frente.

La oca es un animal OVÍPARO, es decir, se forma dentro de un huevo.

PAVOS

1

Empezamos con dos formas:
La cabeza y el cuerpo.

2

Señalamos
el cuello.

3

Continuamos con
el pico. Dibujamos
las alas y la cola.

4

Para finalizar, hacemos
las patas y…

5

¡LO PINTAMOS!

Ahora, un pavo real.
Lo puedes hacer tú solo.
Se parece mucho
al anterior.

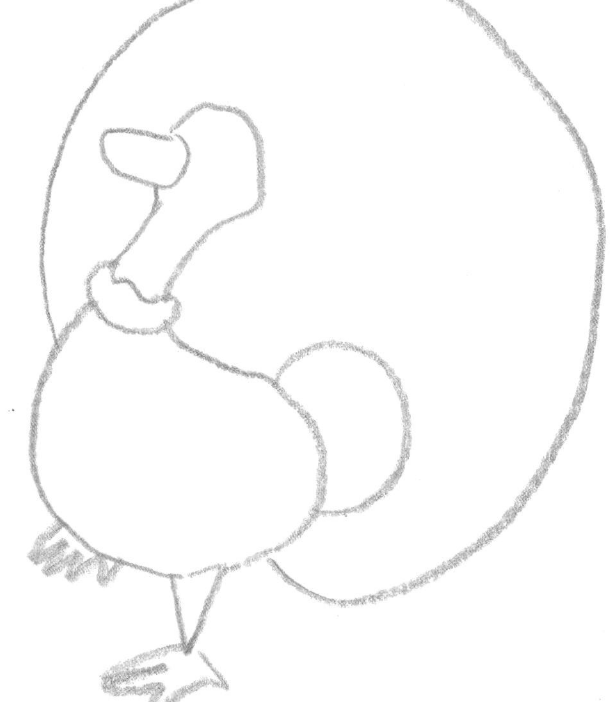

¿SABÍAS QUE...
las plumas de colores, que
abren en forma de abanico, sirven
para seducir a su pareja?

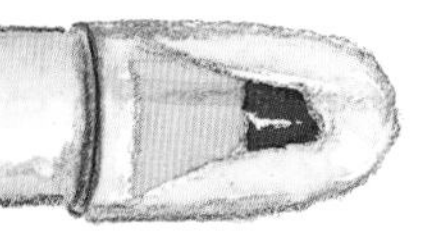

OVEJA

Sigue los cuatro pasos para dibujar la oveja de perfil.

Ahora puedes dibujar una oveja de frente.

CABRA

Primero dibujamos las formas
de la cabeza y el cuerpo,
y después añadimos los
cuernos y la cola.

1

2

3

Redondeamos las formas.

4

5

Dibujamos las orejas
y el hocico. Damos forma
a las patas y a las pezuñas.
¡LA PINTAMOS!

PERROS

Vamos a dibujar estos dos perros en tres pasos.

CUANDO UN PERRO MUEVE LA COLA SIGNIFICA QUE ESTÁ CONTENTO.

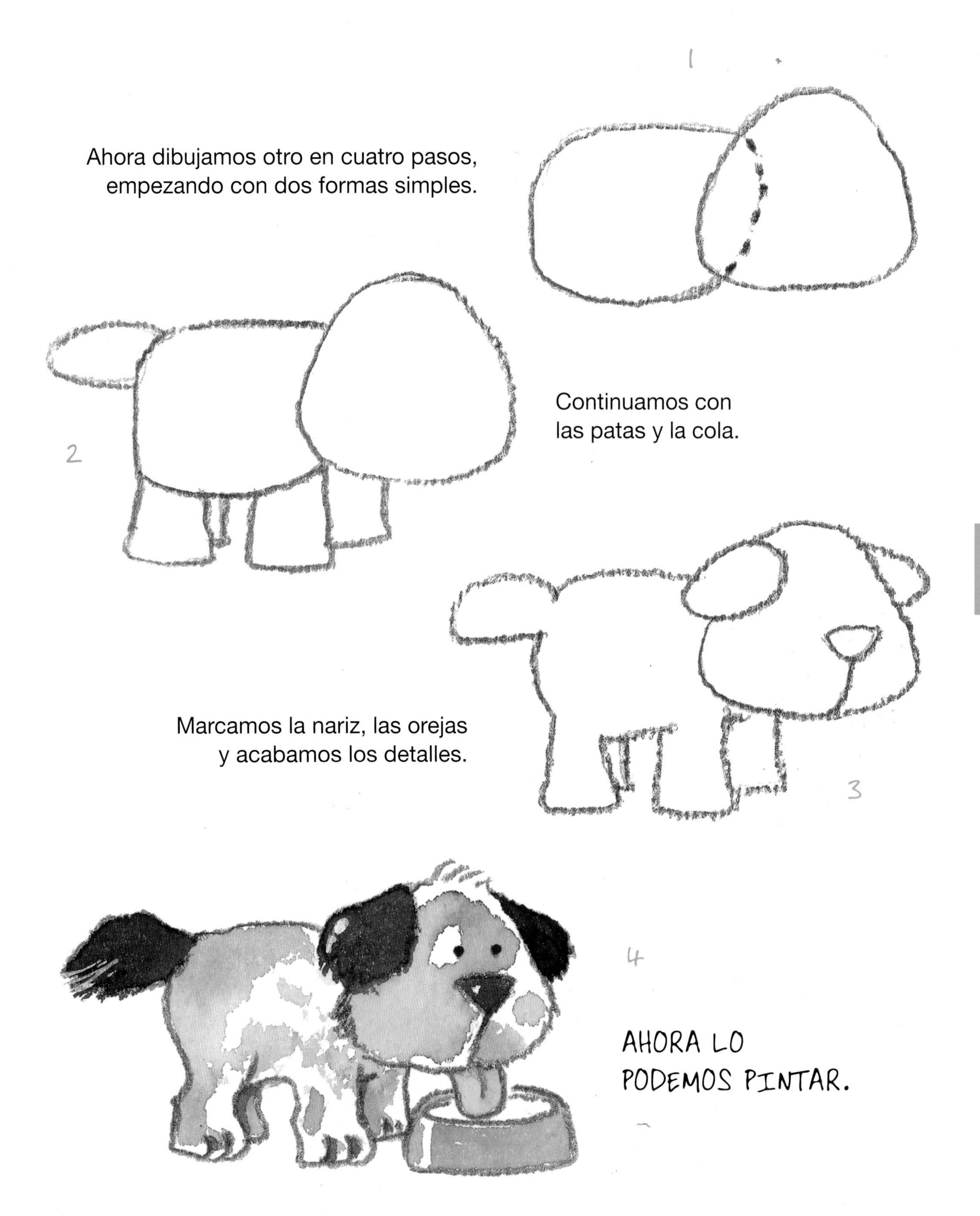

Ahora dibujamos otro en cuatro pasos, empezando con dos formas simples.

Continuamos con las patas y la cola.

Marcamos la nariz, las orejas y acabamos los detalles.

AHORA LO PODEMOS PINTAR.

CERDITOS

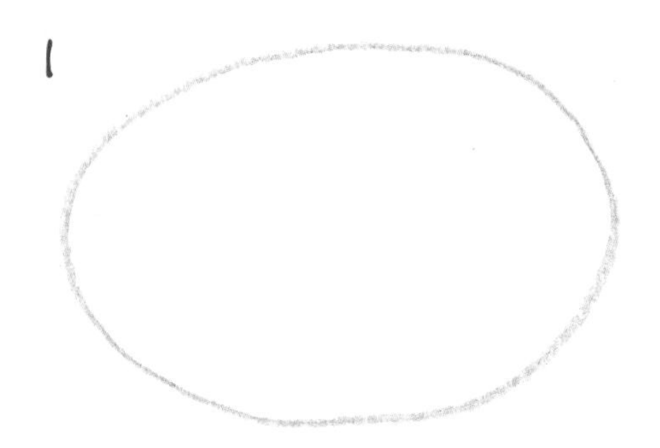

Dibujamos, en cuatro
pasos, un cerdito.

Uno de espaldas en tres pasos.

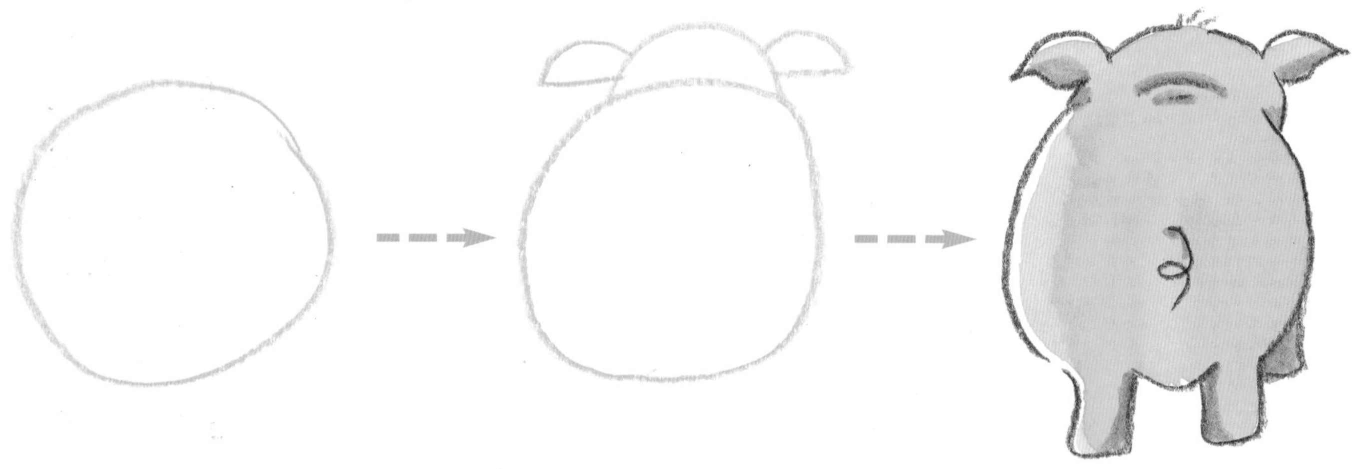

Ahora otro
en cinco.

¿SABÍAS QUE DE
LOS CERDITOS SE
APROVECHA TODO?
INCLUSO EL PELO,
QUE SIRVE PARA
HACER PINCELES Y
CEPILLOS.

CONEJOS

Es muy fácil dibujar conejos. Aquí tienes un conejo en tres pasos. Si quieres dibujar las orejas hacia arriba, mira este otro.

También puedes dibujar un conejo
de perfil, en tres pasos.

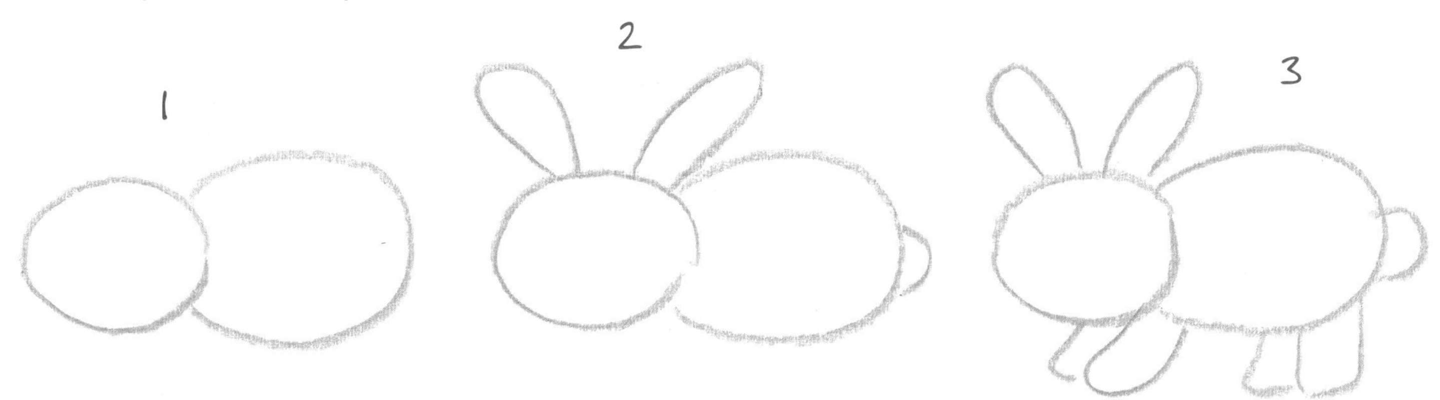

LA MADRE RECONOCE A SUS
CRÍAS POR EL OLOR, SI LAS TOCAS,
ESTE OLOR CAMBIARÁ, ENTONCES
LA MADRE NO LAS RECONOCERÁ
Y YA NO LAS QUERRÁ.

¿Qué te parece
éste con una oreja
hacia abajo?

CABALLOS

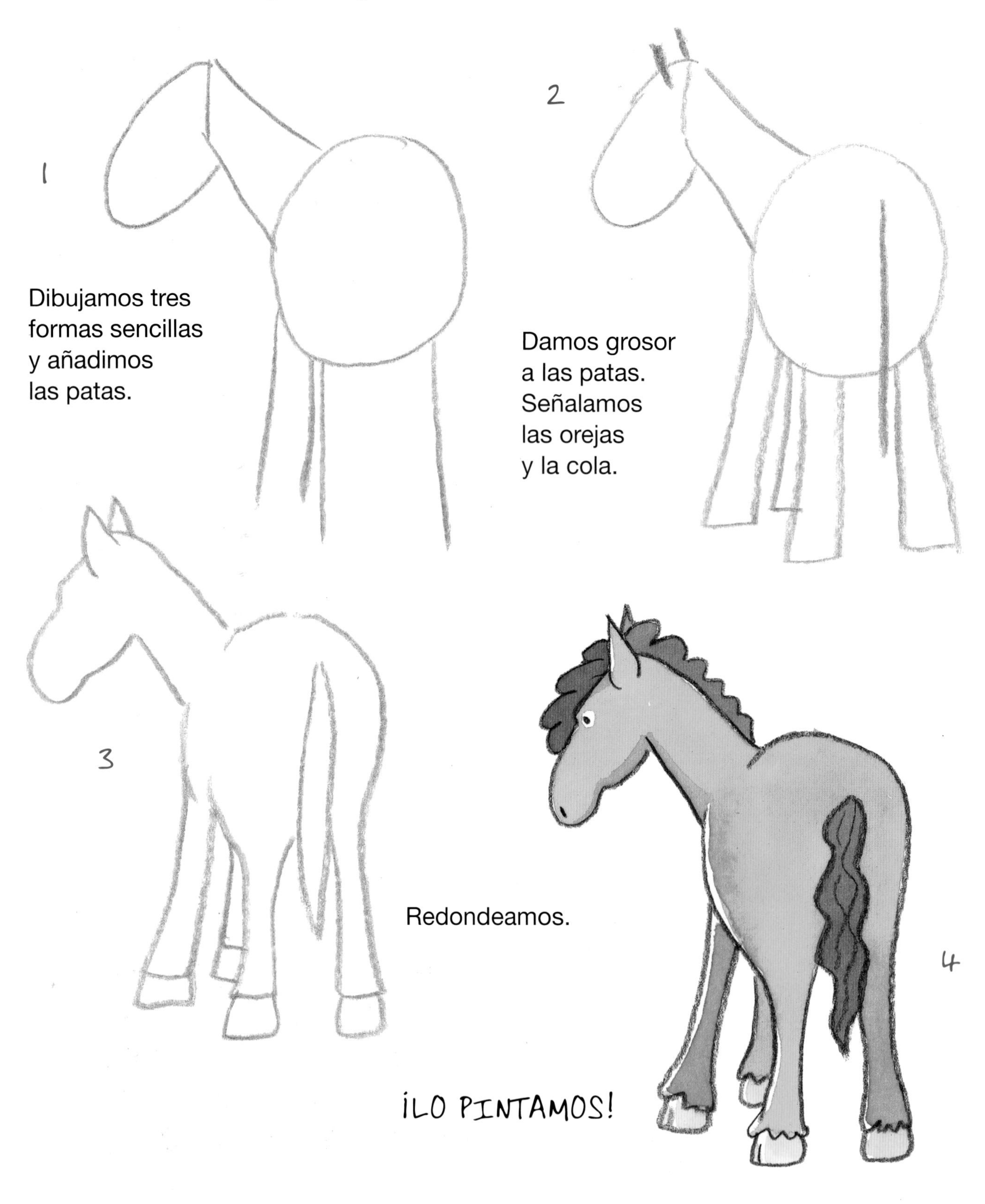

Dibujamos tres formas sencillas y añadimos las patas.

Damos grosor a las patas. Señalamos las orejas y la cola.

Redondeamos.

Ahora, atrévete
y haz este caballo
en sólo tres pasos.
¡Fíjate muy bien!

CUANDO UN CABALLO TIENE LAS OREJAS TIESAS, SIGNIFICA QUE ESTÁ CONTENTO; SI LAS INCLINA HACIA ATRÁS SIGNIFICA QUE ESTÁ ENFADADO.

VACA

Primero la dibujamos de cara.

Después de espalda.

¿SABÍAS QUE... las vacas lamen las piedras para obtener sales minerales?

Las vacas guardan la hierba en el estómago y luego se la llevan de nuevo a la boca para comérsela poco a poco.

GRANJERO

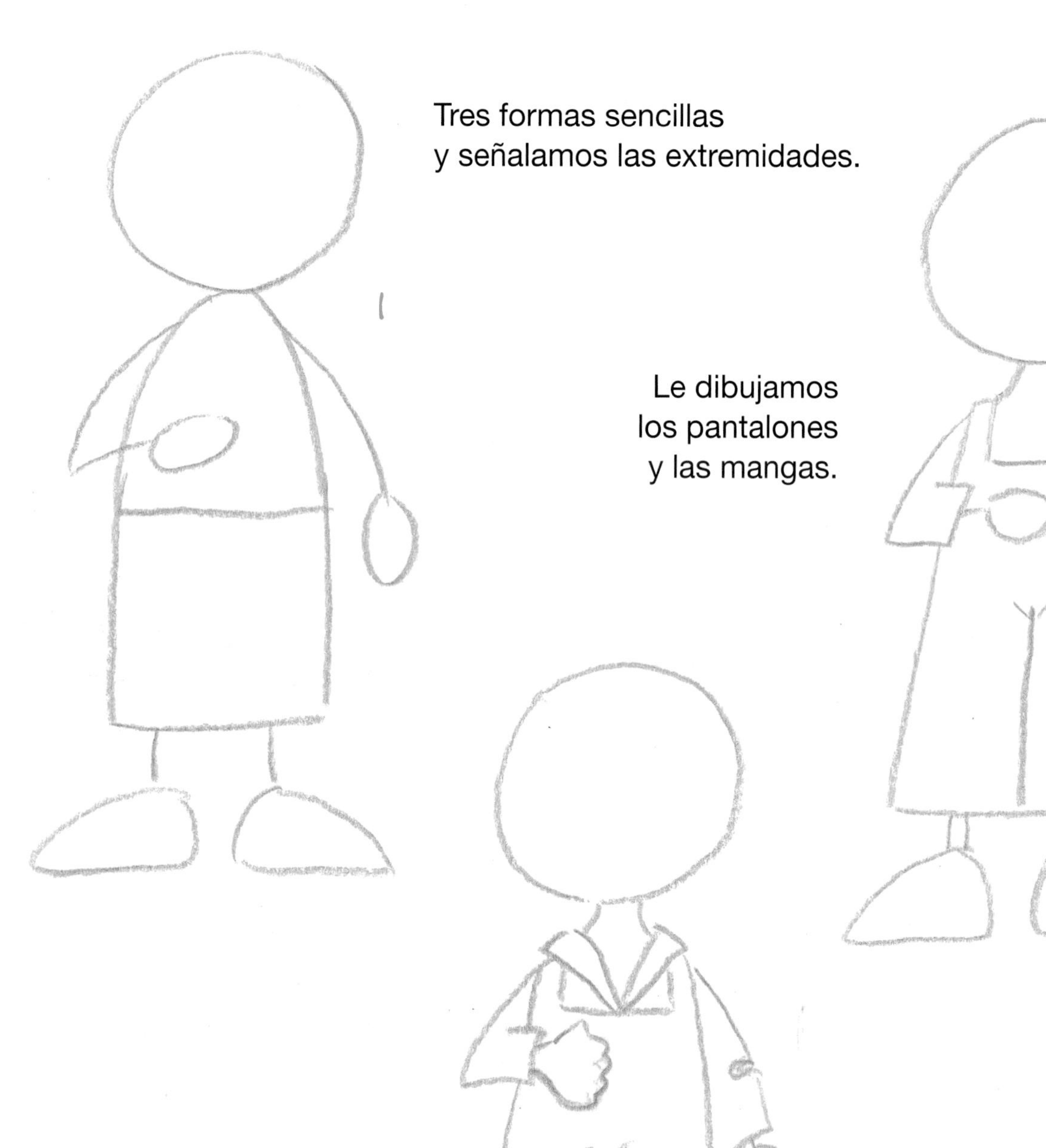

1

Tres formas sencillas
y señalamos las extremidades.

2

Le dibujamos
los pantalones
y las mangas.

3

Ahora el cuello
y las manos.

4
Los calcetines
y los zapatos.
5
La cara sonriente
y un sombrero
de paja.
6
¡LO PERFECCIONAMOS
Y PINTAMOS!

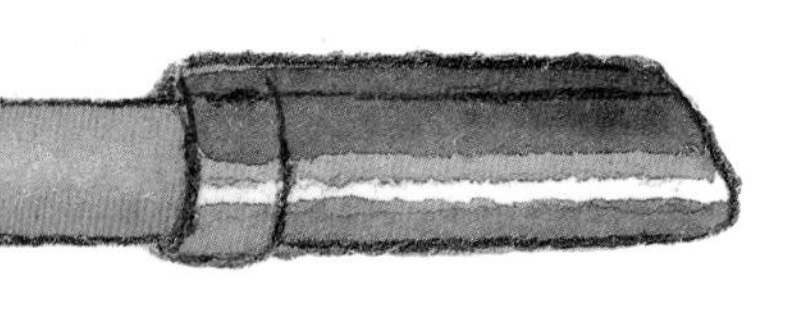

EL LENGUAJE DEL CÓMIC

Observa estos dos niños: A y B.

El niño A se cae.

El niño B se cae y está mareado, la cabeza le da vueltas.

Observa a estos dos señores: A y B.

El señor A se saca el sombrero.

El señor B se saca el sombrero y saluda.

HEMOS REFORZADO LAS ACCIONES (CAERSE, ESTAR MAREADO, SACARSE, SALUDAR) CON LÍNEAS.

¡FÍJATE AHORA!

Hay diferentes tipos de globos. Unos se pueden llenar con letras y los otros con símbolos.

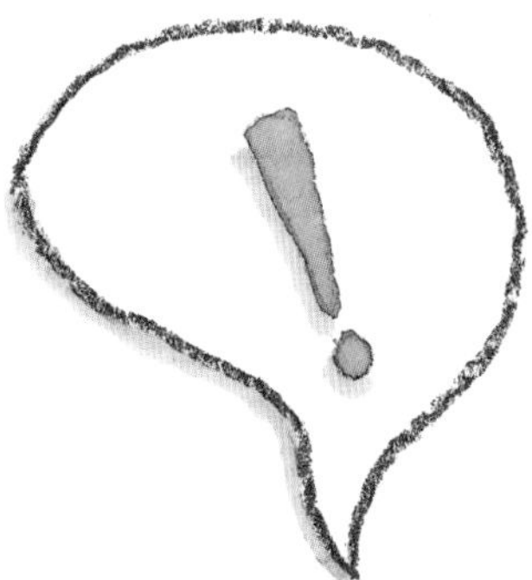

ADMIRACIÓN, SORPRESA, DUDA.

PREGUNTA.

UN RUIDO.

UNA IDEA BRILLANTE.

DURMIENDO.

También hay símbolos sin globo:

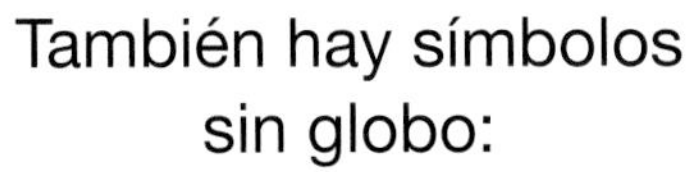

ESCUCHANDO MÚSICA.

VIENDO LAS ESTRELLAS CUANDO TE HACES DAÑO O TE CAES.

LUZ Y SOMBRA

Observa estos tres cubos. Una de sus caras es más clara. Las caras A, B y C tienen más luz. Dibuja una caja con una cara bien iluminada.

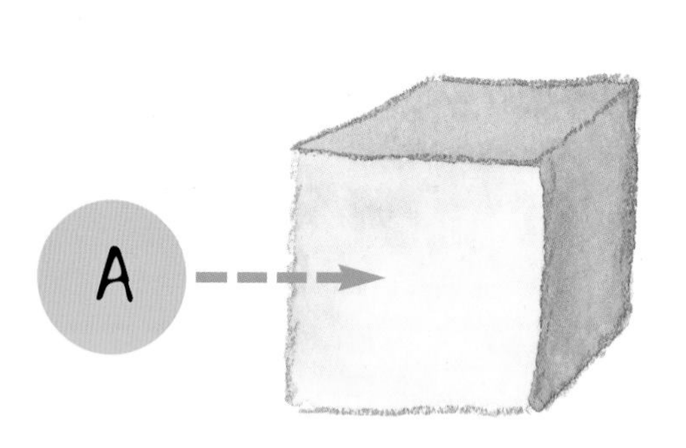

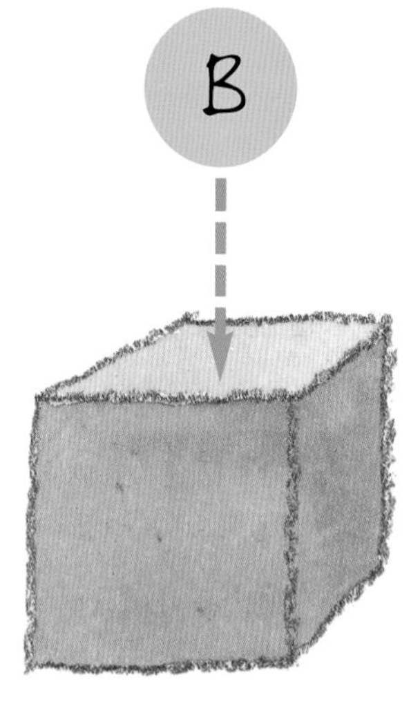

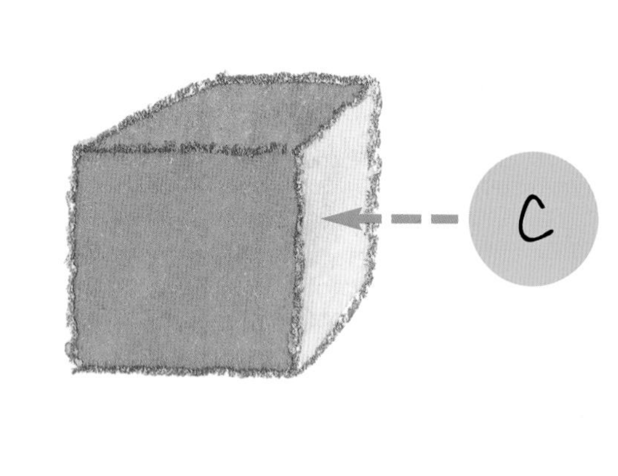

CONTINUEMOS:

Ahora observa la figura con forma esférica. Tiene un punto de luz. Si nos alejamos de este punto obtenemos mayor oscuridad. De esta forma conseguimos dar volumen a un círculo (claro, oscuro). Fíjate bien en esta manzana. Intenta pintar una con luz y sombras. Una manzana real también puede servirte como modelo.

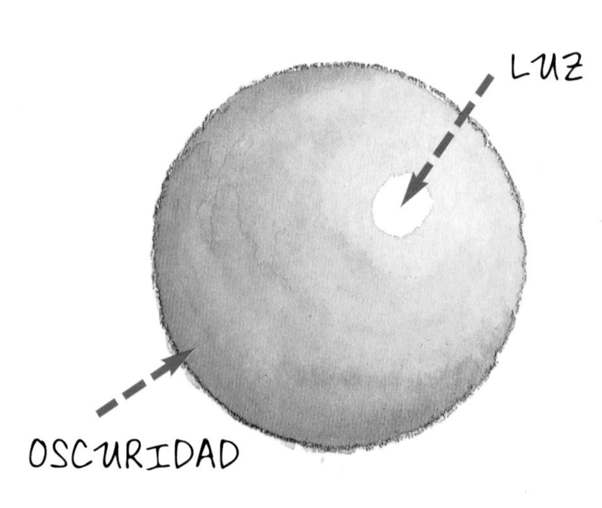

SI COLOCAS LA MANO DELANTE DE LA LUZ QUE PROYECTAS SOBRE UNA PARED, VERÁS LA SOMBRA.

1 Dibuja una letra o una figura y recórtala.

2 Repasa el contorno encima de una lámina o una hoja de papel.

3 Pinta el interior del contorno de color gris suave.

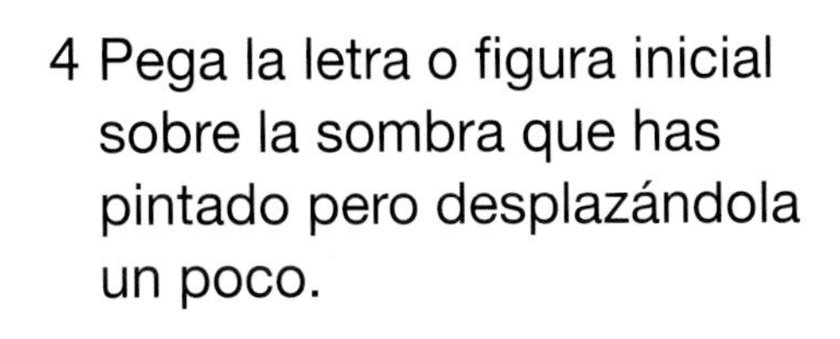

4 Pega la letra o figura inicial sobre la sombra que has pintado pero desplazándola un poco.

5 Dale color. ¡Observa el resultado!

¡FELICIDADES, ARTISTA!

CÓMO DIBUJAR EL MAR

Para dibujar el mar, lo primero que has de tener en cuenta es si está tranquilo o movido. Las líneas horizontales dan sensación de tranquilidad (A). Las líneas onduladas dan sensación de movimiento (B). Las puntiagudas dan sensación de agresividad (C).

Fíjate en el dibujo (D). Si no tuvieses la referencia del barco no apreciarías lo grande que es la ola.

LAS MEDIDAS SON MUY IMPORTANTES.

La luz del cielo y el entorno dan color al agua.

Un mar verde acostumbra a tener muchas algas.

En un día lluvioso y nublado el mar se verá más oscuro y gris.

Si el día es claro lo veremos muy azul.

Cuando sale el sol, aparece teñido de amarillo, rojo y naranja.

En una noche de luna llena, es oscuro con algunos reflejos blancos y plateados.

Durante la puesta del sol puede adquirir diversas tonalidades como rosa, lila, violeta…

BUSCA FOTOGRAFÍAS DEL MAR
Y OBSERVA LOS COLORES.

Primero haz una lista con todos los que veas. Luego dibuja el que más te guste.

DISTANCIA ENTRE LÍNEAS

Ahora explicaremos unos conocimientos
básicos que te serán muy útiles.

Cuando dibujamos un campo labrado,
jugamos con las líneas para dar la sensación de distancia.
Cuanto más lejos miremos, las dibujaremos más juntas
y lo mismo los objetos que dibujaremos más pequeños.
A mayor proximidad, las líneas del sembrado,
las dibujaremos más separadas.

¿QUÉ ZANAHORIAS SON MÁS GRANDES:
LAS PRIMERAS O LAS DE ATRÁS?

Si pintamos un camino con árboles a los lados,
los primeros troncos estarán más separados, como indican
las líneas verticales.

LOS TRONCOS MÁS LEJANOS
ESTARÁN CADA VEZ
MÁS JUNTOS.

APRENDE A DIBUJAR ANIMALES Y PERSONAJES

Texto e ilustraciones: Rosa M. Curto

Diseño y maquetación: Gemser Publications, S.L.

Paseo de San Juan Bosco, 62
08017 Barcelona
www.edebe.com

ISBN: 978-84-236-9934-6

Impreso en China
Segunda edición